天才捕手计划
STORYHUNTING

# 我的骨头会唠嗑

## 法医真实探案手记·1

廖小刀 —— 著

金城出版社
GOLD WALL PRESS
中国·北京

图书在版编目（CIP）数据

我的骨头会唠嗑：法医真实探案手记．1 / 廖小刀著．
— 北京：金城出版社有限公司，2023.5（2024.5 重印）
ISBN 978-7-5155-0933-4

Ⅰ．①我… Ⅱ．①廖… Ⅲ．①纪实文学 – 中国 – 当代
Ⅳ．①I25

中国版本图书馆CIP数据核字（2022）第181771号

**我的骨头会唠嗑：法医真实探案手记1**
WO DE GUTOU HUI LAOKE: FAYI ZHENSHI TAN'AN SHOUJI 1

| 著　　者 | 廖小刀 |
|---|---|
| 责任编辑 | 高　虹 |
| 责任校对 | 岳　伟 |
| 责任印制 | 李仕杰 |
| 策　　划 | 天才捕手计划 |
| 开　　本 | 880毫米×1230毫米　1/32 |
| 印　　张 | 10.25 |
| 字　　数 | 240千字 |
| 版　　次 | 2023年5月第1版 |
| 印　　次 | 2024年5月第9次印刷 |
| 印　　刷 | 天津旭丰源印刷有限公司 |
| 书　　号 | ISBN 978-7-5155-0933-4 |
| 定　　价 | 48.00元 |

| 出版发行 | 金城出版社有限公司 北京市朝阳区利泽东二路3号 邮编：100102 |
|---|---|
| 发行部 | （010）84254364 |
| 编辑部 | （010）64391966 |
| 总编室 | （010）64228516 |
| 网　址 | http://www.jccb.com.cn |
| 电子邮箱 | jinchengchuban@163.com |
| 法律顾问 | 北京植德律师事务所 18911105819 |

# 序

2017 年，一个朋友和我说："你干法医那么多年，能不能把一些案件故事写出来呢？"在她看来，破案肯定是惊险而有趣的，尤其法医破案，一听就很专业，让人敬佩。

起初我是拒绝的。作为法医，我对案件向来只知一鳞半爪，并且我一直觉得自己不大会讲故事，从小到大，我的作文都没有得过高分，要写好案件故事对我来说真的是一个巨大的挑战。

但不久，我生活中遇到一些困难，想做点什么来转移注意力，我开始重新思考，是否应该写些东西，写些让我记忆深刻的案子，记录一些关于生死、关于人性的东西。

当时，我就职的公安局正在推进命案积案的攻坚工作，很多尘封多年的档案袋被从档案室搬了出来，一些已经开始发霉的物证再次见到了阳光。如果我们不去清理这些命案积案，那么这些未破的案子，就永远不可能侦破，枉死者永远讨不回公道。

在清理命案积案的过程中，我终于下定决心要将我自己经历的案子记录下来，于是写了两个简短而粗陋的案件故事发在了网上。

正是这两篇现在看来非常粗糙的案件故事，让"天才捕手计划"的编辑注意到我，他们和我说，既然要写，不如加入他们，和他们一起将案件故事讲得更好，让更多的人看到我写的案子。

于是，2019年年初，我在"天才捕手计划"平台上，发表了我的第一个案件故事，是一个女孩被人杀死后，分尸装进箱子并抛尸的故事。

那是我心中藏得最深的案子，一个没有头、也没有四肢的女孩尸体被塞进了行李箱，丢弃在大河边。

而我，在她遇害一年后才看到她的头。

编辑不止一次问我，为什么第一个想讲这个案子，我起初以为，只是由于这个案子当时沉得太快，让我太不甘心，而后来又太巧，她的头颅就一直在原地等着我们给她找到凶手。

但当我一遍又一遍地问自己，我才察觉，这个案子最让我揪心的，其实是这个女孩的生活状态。她的父母兄弟明明都健在，但她生活得就像透明人一样，除了我们，没有人试图去找她。

我也只是一个普通法医，或许我开始写作，也不过是不愿意自己成为那个透明人，我想讲出更多精彩的案子，分享更多破案的艰辛和人世间的悲苦。

就这样，这几年里，我记录了一个又一个真实发生的案子。

有让我纠心很久的小女孩被杀案，那个让我和胜哥无数次驻足的路口，其实就是我现在居住的小区路口。

也有让我一度被逼到墙角，甚至差点儿陷入调查的刀下留人案。直到现在，依然有人觉得是我们抓错了凶手，冤枉了好人。

有些案件的破获，巧合得让人不敢相信，就像它们发生时也不过是一个巧合。

我很努力地想把每一个案子讲好，想让更多人喜欢我讲的案子，能够让他们从法医的视角了解到案件的始末。

但就和我们更多吃的是家常便饭而不是海鲜大餐一样，绝大多数案件其实没有那么精彩，有的案子也不方便记录下来给大家看。

2019年年底，最初鼓励我写案件故事的朋友因为抑郁症跳楼自杀了。我没有在现实生活中见过她，她逝世之前，一直说有机会来找我吃饭，"撸"一下我家的猫，等我出了书还要给她一本独家定制签名版。

作为一名从业18年的法医，我经历过数百起高坠案，有自杀，也有意外，但是没有一次像这次一样，让我心绪不宁，情绪低落。

2020年，陪伴了我十几年的白猫菜头，也因为年迈而病逝。

也许早些年奶奶的去世，就让我明白，我也只是见惯尸体，并不是见惯生死。

我们无数次见证旁人的死亡，最终我们也会走向死亡，而我不过是想把自己在路上看到的那些风景和片段跟更多人分享。

从2019年到2023年，5年过去了，回头看来，当初一起聊天的朋友、鼓励我写故事的朋友，有些人已经消失在人海，但更多人还在继续支持着我，陪伴着我。

这几年里，我也在网上认识了更多的朋友，也帮助一些网友解决了困扰他们的问题，我自己也从人生的低谷中挣扎着爬了起来。

我依然还是那个不怎么起眼的法医，我还是和以前一样敏感而多疑，我也依然和年轻时一样，总是想把自己的工作做得更好，努力让更多的案子告破，发现更多真相。

当法医的年月越久，经历的案子越多，也就让我有更多的案件故事可以和大家分享，让大家能够对法医、对刑警有更多的认知和认同。

18年前，我刚工作的时候，法医并不是一个光鲜的职业，那时候社会对法医的了解很少，认同感更低。在珠三角地区，有些家属甚至会觉得我们晦气，拒绝和我们握手，就连有些同事，也会因为我们刚看完尸体现场，不愿意和我们同桌吃饭。

那时候，我们的解剖室还只是位于殡仪馆角落的一个小房间，不到10平方米，屋中间一个用水泥砌成的"T"形台充当了我们的解剖台。

就是在这样的解剖条件下，我们经历了一年上百起命案的岁月，也见证了社会治安越来越好。

我们这里不过是全国的一个缩影，在更多的地方，在这些年里，无数法医一次次站出来为死者代言，为生者维权，一次次协助破案，让警队和社会对法医的认知越来越多，对法医这个职业的认同感也越来越强。

主动报考法医专业的学子也越来越多，甚至法医这个职业都有专门的综艺节目了，以至于我都觉得该给准备学这个专业的人泼一点凉水。因为法医工作也不过是刑侦工作的一小块，我们重要，但并没有想象中那么重要，工作中也不全是那么精彩的破案故事，更多的时间里，法医工作琐碎而忙碌。

我工作了 18 年，这几年费力拼凑出真相，能讲出来的案件故事，也不过是这一本书。

我一直觉得自己的文字很烂，所以我特别感谢一直给我鼓励和支持的"天才捕手计划"的编辑——锅盔，她实在是太有才，太可爱了，我每一篇文字都离不开她的辛勤劳动。

我一直梦想能够有一本自己署名的书，为了凑齐一本书的体量，断断续续写了近 4 年，现在终于达成心愿了，也特别感激不嫌弃我的读者，希望你们都快乐，远离悲苦。

作为一个法医，除了给死者代言，为生者维权，我更希望的是，天下太平。

廖小刀

目录

1

21

43

65

87

109

125

147

167

191

235

273

01 沉案

02 寻找失踪的孩子

03 27号命案

04 无证之罪

05 谁动了她的梨

06 后备厢里的第三个人

07 深渊之下

08 尸体黑市

09 天堂口

10 悍匪1992

11 天字一号案

12 团圆行动

为生者权，为死者言

为保护当事人隐私,书中人名及部分地名为化名。

# 01

沉案

**案发时间**：2015 年 11 月

**案情摘要**：河滩有一24寸行李箱搁浅，内有一具无头女尸。

**死　　者**：?

**尸体检验分析**：

四肢断开处见长骨露出，创口处布满刀痕，切口浅，位置非关节处，疑似无准备碎尸，且分尸手法残暴。

肺部见严重气肿，左心室表面散布针尖样出血点，窒息死之?

办公室越来越静，只有不远处在电磁炉上加热的锅里持续发出咕嘟咕嘟声。一股一股白色水蒸气喧嚣而起，空气里满是不安。

锅里煮的，是一块女人的骨头。

先用洗衣粉水煮掉尸体一小块盆骨上的肌肉和软组织，再观察表面凹凸沟脊——这是我常用的确定死者年龄的办法。

我对着电脑，眼前是今天的现场照片与写了一半的命案现场分析报告。四下俱黑，只有屏幕上的照片荧光闪烁。照片中的她蜷缩在行李箱里。没有头，没有四肢。

白色水汽继续升腾、弥漫。这是我与无头女尸的对话时间。

拿起24号银色手术刀，刀尖轻触她皮肤的瞬间，我的手顿了一下。我感受到她皮肤尚存的柔软。

不锈钢解剖台冰凉，我双脚开立，头顶一圈强烈的冷光。一股特有的气味充斥着我的鼻腔，冷飕飕的，越来越浓，似乎要钻进我的脑子，水和消毒液也盖不住。

解剖刀从她颈部正中切入，刀尖在黑绿色的皮肤上缓缓下划。

第一肋软骨还没有钙化。

刀尖继续向下。一字切开胸腹，脂肪不多，没有妊娠纹，没有手术疤痕。

死者年纪不大。

屋里的抽风机不间断发出呜呜声，像是哀号。

她四肢断开的地方，长骨参差不齐地从乌黑的肌肉中支棱出来，异常突兀。

分尸的手法相当粗暴。

这种创口表明凶手既没有经验，也没有耐心。或许是时间不足，或许是空间有限，又或许是焦虑所致。

第一现场也许就是某个简陋的出租屋，我心中暗暗想。

我稍稍用力破开她的胸腔两侧，膨隆的肺露了出来。轻轻捻动肺叶的边缘，细小的气泡散布，肺叶间还有一些深色淤血。这提示我，她的肺部有严重气肿。

是窒息死亡吗？

我剪开了心包，左心室表面同样散布着几个针尖样的出血点。

口罩下，我抿紧的嘴唇松了下来。要判断是否窒息，心脏有无出血点是很关键的一环。

一个画面在我的脑海里闪现——

愤怒的凶手用力掐住她的喉咙，也许同时还摇晃、打击她的头部。她全力挣扎，但力量悬殊，缺氧加剧，死亡很快降临。

要再进一步确定是不是机械性窒息，还必须考虑中毒的可能。

银色的刀尖继续向下，胃和十二指肠里只有不到 50 克的食物残渣。我用勺子一点点收进一个白色的圆形小盒，以备查验。

凶手应该是发现她没有动静，才停下手上动作的。当面前杵着这样一具尸体，该怎么办？

直接逃走的话，尸体很快就会被人发现，顺着住处信息就能被找到，不行。可外面到处是人和监控，拖这么大一个人出去太扎眼，也不行。

窗外车辆疾驰而过的声音，隔壁房间电视剧的声音，走廊开关门和人走动的声音，甚至一个咳嗽、一个喷嚏，一点点声响都可能让神经紧绷的凶手战栗。

24 寸的行李箱装不下一个完整的人，凶手很可能在这时想到了分尸。

他弓着身子，把尸体拖到厨房或是卫生间，抄起最顺手的那把菜刀，也可能是唯一的一把。他猛烈劈砍起来。

典型的无准备碎尸。难道是身边人作案？

凶手应该很快发现，碎尸也不是一件容易的事。因为女尸四肢和颈部的创口上布满刀痕，且都不是落在关节位置，切口很浅，有些地方甚至不是直接砍断，而是暴力折断的。

他很累了，于是放慢动作切割皮肤和肌肉，那些纠缠的组织让他心烦意乱，砍到最后一点时，他用蛮力折断骨头。

大腿应该是先被砍下来的，可上半身还是放不进行李箱，他又砍下她的双手，胡乱剪碎脱不下来的衣袖。

最终，躯干塞进了行李箱，剩下的四肢和头另外装在一个或几个袋子里，衣服碎片则被他顺手丢进了行李箱。

等到后半夜，凶手拉着装尸体的行李箱，从狭小的出租屋里出来。一路上担惊受怕，直到盯着行李箱消失在水面，他才松口气。

尸体在水中浸泡了数天，绝大部分生物物证已被水流破坏殆尽。

我取出无头女尸的子宫，用棉签提取了一份擦拭物。河水没法冲刷到子宫内，如果有到达子宫的精子，便会留在这里。

我将所有的脏器摆回原位，开始缝合。

她能告诉我的，似乎都告诉我了。

8小时前，无头女尸在河岸边被发现。

等我赶到那里时，一条长长的警戒线已经将整个河堤路拦住。

警戒线外，围着一群看热闹的人，他们的目光越过警戒线，汇聚到30米外的河滩上，几个警察与一个孤零零的行李箱杵在那里。

其实我已经记不清，今年来过这里几次。不远处的巨大桥墩总像是在帮我们，多具从上游飘来的浮尸被它阻隔，搁浅在这片河滩。

我从勘查车上拎下工具箱，穿过人群，朝抬高警戒线的治安队员点了下头，微屈上半身，钻进警戒线，也钻进新案子之中。

一个24寸的黑色行李箱倒扣着，拉链已经被打开，露出的部分，看得出是人的躯干。

"还有其他人动过尸体吗？"我边戴手套边问。

岸边吹过一阵风，裹住尸体特有的气味扑来，几个警察忍不住捂着鼻子。

"没有,就报案人因为好奇拉开了拉链,其他人没动过。"看他难受的样子,应该是个新警察,我顺手将自己的口罩递了过去。

我躬下身,小心地平移开箱子,挥了挥手,苍蝇四散。

死者下身赤裸,上身套了件残破的深蓝色外套。我注意到箱子里有些衣物残片,便拿了几块拼在死者袖子的破口处比较。吻合。

我蹲下去,拉开她的衣服,伸手按压她的腹部,硬邦邦的,那是因为肠道充斥着腐败气体。

5天以上。我圈定了大致的死亡时间,考虑到天气因素,再早的话可不是这种衣着。

法医基于案发现场给出的基本判断往往会影响最初的侦查方向,这总让我想起随堂考试。

我不知道这个姑娘的名字、容貌,还有她的过去。能告诉我一切的,现在只有这具残缺不全的尸体。

一行人提着担架朝现场走来,下河滩的路很陡,看着他们,我突然想到,凶手提着这么重的箱子,想顺着河堤斜坡下来可不容易。

是的,这里不但不是案发现场,甚至也不应是第一抛尸现场。

我把躯干包好,帮着大家小心翼翼地把她装进黑色裹尸袋。

看我们抬着黑袋子上了堤坝,围观群众迅速向两边避让,让出一条宽敞异常的通道。

闪着警灯的勘查车没入车流,窗外人潮熙攘,一切如常。

车里没人说话。

发现无头女尸的 4 天后,我在自家小区门口看到了为碎尸案张贴的寻人启事。

女性,年龄 20-25 岁,身高 155-160 厘米,体形中等,身穿深蓝色长袖外套。

没有死者的面部照片,只有一张衣物照,是塑料模特穿着死者衣服拍的,衣服破口通过电脑后期修复过,末尾还附上了那个孤零零的行李箱的照片。

4 天过去了,我们依然不知道她是谁。

悬红告示遍布街头巷尾。我们将排查对象的失踪时间扩大到案发前 10 天,侦查范围也由本地扩大到河流上游地市,还是没有一个吻合。

每晚 11 点,结束了调查的刑警们就会聚在一起开会。这样情节恶劣的碎尸案,一年也少有几起,他们会揪着细节一遍遍跟我确认。

案子没破,这样的会也不能停。

有一次经过走廊上的长沙发,我忍不住数了数,那么小的地方,足足有 6 个外侦兄弟挤一块儿补觉。

没人报案,也没人露面。解剖室那具无头女尸还在那儿,似乎真是顽强地等待着自己的头颅与四肢,等待着我们来讲述真相。

我们争论了很久,最终还是回到原点,回到现场。

拦截女尸的大桥是条主干道,连接着周边数个地级市,与河流经过的地方并不完全一致。

一种质疑声逐渐占了上风:那个黑色行李箱会不会是从桥

上扔下来的？

如果是公路抛尸，那往往会有汽车参与。这个思路之下，尸体发现地可能和第一案发现场距离很远。若果真如此，我们的排查范围还得扩大，难度可想而知。

有的时候，漫天撒网也是办案过程的一部分，为的是给这些陷入困局的案子，争取一线生机。

可我不这样看。

"对第一现场，你有什么想法？"一天，队长突然把我叫到办公室。

"我还是认为，凶手是在附近河边抛的尸。"

我的判断基于女孩的行李箱和衣服，看起来材质一般，也不是什么昂贵的品牌。这两样物品我前后勘验了不下6次，对它们非常熟悉。

我怀疑死者和凶手应该都是经济实力较弱的外来务工者，他们应该不太可能有大型交通工具。其他的运输工具，不管是摩托车还是自行车，驮着一个尸体长时间暴露在外，没有凶手会傻到这样做。

我仍然坚持，排查重点应该聚焦在周边两三千米内的几个打工村。

一个错误的判断会耗费掉本就有限的人手和精力，更可能会使后续侦查徒劳无果。排查圈究竟应该扩大还是缩小？现在我们就站在这个"十字路口"。

"要不弄两个箱子实验下？"我问队长。

一周之后，我和技术组的同事来到那座大桥上。我们手里提着两个行李箱，里面有近40斤的填充物，与无头女尸的躯干一样重。

冬日的河岸一片灰蒙，几百米的堤岸看不到一个行人，河水翻起浑浊的浪。

我在打捞上女尸的地方，望着大桥。

电话响了。这是约定好的信号：准备就绪。

突然，一个方块状的黑影从桥上极速下落，"嘭"的一声巨响，像是引爆了一枚小炸弹。箱子一碰水面就爆开了，水花溅得很高，巨响穿过喧嚣的车流，直冲进我的耳朵。

待到捞上来，箱子所有拉链和线缝都被扯开了。冲击力很大。

我们抛下另外一个箱子，得到一样的结果。这意味着，如果凶手是从桥上抛尸，箱体一定会严重受损，而装无头女尸的行李箱是完好的，被发现时甚至还处于相对密封状态，只是因为尸体腐败，箱子才浮上水面。

可以确定，抛尸处并非大桥之上，很可能就是上游河滩，应该也不会很远。

我坚持的思路成了破案方向。

大桥行李箱实验后，在回警队的路上，我收到了女尸的DNA（脱氧核糖核酸）检验鉴定结果。最后收集的那几根子宫棉签派上了大用场。

一个男性的DNA分型被检验出来，并且和女死者的DNA分型符合单亲遗传关系，通俗点讲，死亡女孩的肚子里，有一个正在成形的胎儿。

一尸两命。

胎儿的父亲是谁？女孩会不会是因为这个胎儿而遇害的？

更奇怪的是,即便是意外,怀有身孕的女孩失踪半个多月,竟无男友或亲友报案。

"你说死者有没有可能除了认识凶手,就没有其他家人朋友?"看着一张张行色匆匆的面孔,我忍不住和同事嘀咕。

"这谁知道啊,或许没人关心她吧。"同事一脸无奈。

我想象着这个女孩的脸,如果不是发生了这样的事,现在的她应该也和这些行人一样,奔波在晚高峰的车流里。

女孩的死亡乃至分尸,安静得有些吓人。我们在DNA数据库里没有比对出死者的身份,也没有胎儿父亲的线索,两人都没有前科。

破案的一丝光亮转瞬即逝。解剖台上的女孩在等,我也在等。

对不起啊,我只是一个法医。

读大学的时候,这专业还没什么人知道,班里29个人,包括我在内,28个人是调剂过来的。入行之前,觉得法医能勘破死亡的表象,还死者一个真相,是件挺有意义的事。但十几年过去,还留在岗位上的同学不到三分之一,我自己整理的未破命案也有了50多起。这当中,有物证齐全就是逮不到人的,也有知道凶手身份,但就是查无此人的。

干得年头越久,手上的沉案就越多,每一起都是心里的坎。

跨过这些坎,才能接新的案子。可一旦跨过去,又会歉疚,谁给这些死去的人一个交代?尤其是这种无人知晓、无人在意的女孩?

破案有时就差一个契机,但契机究竟明天来,还是永远不会到来,我无从得知。

这就是这个职业的宿命。

周边几个村的出租屋成了排查重点，那里住着不少外来务工者。

如果案发第一现场是出租屋，那么凶手很可能立即清理并退房。而且马上就要过年，凶手辞掉工作回老家再不回来，谁都不会怀疑什么。那时，我们就真是大海捞针了。

留给我们的时间不多了。

我有些冲动，与同事一起来到周边村里的出租屋调查。

一间，一间，视野里并没有出现蓝色荧光——那种鲁米诺试剂遇到血迹的典型反应。

我放下手里的喷壶，站了起来，长时间蹲姿导致的低血压让我头晕。室内除了执法记录仪闪烁的灯光外，一片漆黑。

"开灯。"

旁边的同事放下相机，打开出租屋的灯，问："多少间了？"

"22间了。"我回头看了眼记录本，上面写着一个月来我们勘查过的所有出租屋。

"会不会不是这些村子啊？开车丢的？你想，头和四肢都没有发现，万一真是上游一些远地方漂来的呢？"同事渐渐对这种看似漫无目的的搜查丧失了信心。

会是下一间吗？头顶出租屋的灯光打在我脸上，冰冷、苍白，又让我想起解剖台上的姑娘。

还有一周就过年了，空出来的出租屋越来越多，可第一现场还是没有找到。

我不是侦查人员，也不是情报人员，看不到视频监控，也分析不了数据,每天还有很多尸体排队等着勘验。我能为这个女孩做的,似乎已经到了尽头。

当时的我并不知道,那是我离凶手,最近的一次。

冬天已经过去一半。

年前最后一天,警队组织了简单的年夜饭聚餐。

不仅女孩碎尸案没有破,不久前还发生了第二起女尸案,同样是无头,同样没有亲属报案。不过第二起与之前这起作案手法完全不同,应该不是一个凶手。

我知道侦查那边的压力更大,好几个兄弟连续加班了一个月,每天早出晚归。都知道碎尸案要找尸源,但两个案子偏偏都卡在这一环,没有家属报案走失,也没有工厂反映员工失踪。

明天就是新年了,难道两个女孩的家人没有发现人不见了?

刺骨的寒气打在窗玻璃上,起了一层白雾,屋里人声吵嚷,大家纷纷举杯。

队长挨桌敬酒。到了我,我端起可乐。

"咦,你今天又值班?"队长有些意外。

"等会儿回去还有活要干。"我一口干了。

"有什么过完年再说。"队长一仰头,杯也见了底。

借着值班的理由,我溜回办公室。电脑还开着,屏幕上依然是碎尸案现场和无头女尸的照片。

数不清是第几次打开这些照片了,闭上眼,我甚至能清晰地复原每一道伤口的大小、深浅和走向。

我新建了一个文件夹,把所有和女孩碎尸案相关的文件都放了进去。"未破命案"——我给文件夹重新命名。没破的案子又多了一起。

从业18年,我碰到过不愿跟我握手的死者家属,不愿跟我同桌吃饭的熟人;

18年间,我出过各种"血洗地"的现场,下不去脚,我用踏板铺出一条路;

18年间,我还很多次遭遇水浮尸体,死者皮肤发白脱落,我就把他的手指皮肤"穿上",戴手套一样去帮他按指纹;

18年间,在高腐尸体的现场,我必须不停跺脚,驱赶恼人的蛆虫,还得小心翼翼地提防它们钻进裤管。

我们是法医,面对无言的尸体,只能拼命对话,拼命破解他们留下的密码。

关掉电脑的一瞬,我仿佛看到一个女孩正缓缓沉入水底。

之后每个睡不着的夜晚,我都会点开这个"未破命案"文件夹浏览一遍,再关掉。这个习惯,我改不了。

案子沉了,我的心却一直浮在那儿。

转年11月,冬天又来了。

一年当中,不断有新案件发生,也不断有新案件被破,这个案子的档案袋一直躺在我的柜子里,沾了一层灰。

11月5日临下班时,我收到一条微信,眼睛刚瞥到屏幕上那短短一行字,我就猛地放下杯子,"砰"的一声。

办公室其他人吓了一跳。"没事,没事。"我讪讪地笑道。

"什么喜事?"大家带着疑惑看向我。

"过会儿吃饭我请客!去年年前那个碎尸案,比中人了!"

胎儿的父亲找到了。

从采集的信息来看，嫌疑人就在案发地附近的打工村活动。那里，正是当初我对出租屋进行重点排查的地方，我曾和他无比靠近。

一年以来，我没有放弃追踪，他却放弃了隐藏。

男人和工友斗殴，有人报了警，警方登记涉案几人的信息，采到了他的血样，这才有了现在的比对结果。

是时候整理出那个沾灰的档案袋了。

当晚 11 点多，我接到队长的电话，嫌疑人到案，已经初步交代了杀人过程。明天一早，指认现场。

挂掉电话，我在黑暗中静静坐了很久，徒劳扑腾了无数次，这一次，我们终于拉住下沉女孩的手。

第一现场是出租楼一层，一个不足 10 平方米的房间。卧室连着厕所，屋里仅有一张床、一个矮柜。

这样的构造和摆设，我太过熟悉。自作主张排查出租屋那个月，这样的房间我看了不下 20 个。只是没想到，因为房东不肯退押金，男人也不愿损失那几百元钱，杀人后，他竟然在案发现场又住了 2 个月，刚好躲过我们那轮对退租出租屋的排查。

最近的时候，我和杀人凶手仅隔着一道 5 米的小巷。

找到他了。过去一年的等待和煎熬，都有了意义。

这个房间在凶手之后又经历了两任租客，现场已被多次清洁，连床板都换过一次。反复搜寻，也没有任何案件相关的痕迹。

出租屋门口虽有监控，但时隔一年多，已经没有什么有价值的信息。

"怎么杀她的？"我摘掉手套，冲着这个20岁出头，身形消瘦的年轻人问道。

他低着头，不时瞟我一眼。在那张年轻的脸上，除了睡眠不足的憔悴，我看不出任何情绪。

"掐死的，我也不想，我是一时失手。"瘦弱的男人怯生生地埋下头，避开了我的视线。

那时女孩与他同住在这间小屋子里。

女孩一直没有稳定的工作，时不时会找男人要钱，两人平时经常为琐事争吵。

一天，女孩被男人撞见和别的异性聊天，两人起了争执，女孩摔门离去，一走就是2周，回来就告诉他自己怀孕了，要他负责，男人并不相信。

怀孕的事情纠缠了2个月。案发当晚，女孩又提起自己怀孕的事，让男人给钱，说她要去医院检查，两人再次吵起来。后来争吵升级成打斗，气头上，男人失手把自己的女友掐死了。

听他说"怀孕"两个字，我觉得刺耳。

我几次张口，想告诉面前的男人，女孩真的怀孕了，孩子就是你的！但在即将说出口的瞬间，又变成一句不带任何情绪的质问："掐死之后呢？"

他跑去网吧玩了一晚上，第二天中午推门进家，女友的尸体依然躺在那里。

男人知道门口有监控，没法直接处理尸体，只能用菜刀把女友砍成几块，第二天趁着天黑，把装尸体的行李箱扔到了河里。

还差女孩的头和四肢。

男人带我们走到距离出租屋 200 多米的一条小河边，示意我们，这里就是抛尸地点。

小河的水面只有七八米宽，河道中心水深也不过 2 米，这里和发现尸体的大河相通。大河退潮开闸的时候，小河的水流会变得湍急，行李箱很有可能是开闸时顺着水流漂进大河的。

我摸了摸冰凉的河水："先从这里捞！"

民警叫来两个有打捞经验的治安队员，又借来两套连体橡胶服。

如果这里找不到尸体剩余的部分，就要靠水警和专业潜水员，在抛尸位置到发现躯干位置间 3 千米长的河道内进行搜寻了。

一个队员将脚伸进河水，水渐渐漫到他的胸口。刚走到嫌疑人指定的位置，队员就举手示意，说："踩到东西了！"

打捞上来的是一个骷髅头，白花花的。我赶紧戴上手套，小心翼翼地接过来。

纤细的颧骨、平坦的眉骨、细小的耳后乳突结节，还有整体偏小的颅骨——这些特征无不提示我，这是一个女性的颅骨。

是她。

头骨捞上来的瞬间，薄弱的证据链完整了。

如果不是因为男人的那场斗殴，这一幕可能会迟来很多年。

我把颅骨静静放在一边，戴着脚镣、被警绳捆绑着双手的男人，也在颅骨边缓缓蹲下了身。

时隔一年，这个冲动暴戾的男人，终是把自己，连同真相，推到了我的面前。

他像被抽掉了骨头一样向一侧歪倒，旁边两个刑警架着他的双臂才勉强撑住。一年前那个惊悚的夜晚，此刻也许正在他的脑海中重演。

随后，在同样的位置，又发现了两个下肢和一个上肢的尸块，上面的人体组织已经完全皂化，像一大团深黑色的污泥敷在白花花的骨头上。

不是家人，不是男友，而是我，一年后第一次看到她。

我们终于见面了。

3天后的下午，我拿着女孩碎尸案的鉴定书和现场档案去二楼找刑警队的胜哥，他和我同一年入局工作，性子豪爽得不行。

他正倚着走廊的墙壁抽烟，我递过档案袋让他签名。忍了几次，我还是问出了压在我心底一年多的疑问："这个女孩没有家属在这边吗？"

"有，就在隔壁市打工，父母都在，还有一个哥哥。"胜哥接过笔潦草地签了名，头也不抬地回答。

通过嫌疑人的交代，胜哥获取了死者姓名，根据身份信息查到了女孩的家。

她并不是我们想象的那样，远离故乡独自在外打工，她不仅有父母兄长，而且住址距离案发地很近。这家人在当地打工近10年，经济状况也不算差，有一间小小的二手房，算是定居了。

就是这样家庭的一个女孩，父母和哥哥一年没有收到任何有关她的消息，却没有一丝怀疑。直到胜哥找过去，他们才知道女孩已经遇害一年多了。

我们向她的父母了解女孩的状况，他们表示只听说女儿在该镇打工，但具体工作单位不清楚，住在哪里也不清楚。他们知道女儿有男友，但不知道叫什么，更不知道女儿男友的电话。

亲生的女儿，似乎是个不存在的透明人。

我不知道这个家庭背后有多少秘密。

胜哥告诉我，他对家属说尸体需要领回去自己处理的时候，他们最担心的，是需不需要给殡仪馆保管费。如果要的话，就不来处理尸体了。

"他们还想让凶手赔钱。"胜哥神情黯然，吐了个烟圈，随后从口袋里掏出一张纸，说："喏，这个你签了吧。"是女孩的死亡证明。

当你在努力为死者鸣不平的时候，在血缘上与她最亲近的人在乎的，却是能否最后捞上一笔。

我很想爆两句粗口，但到了嘴边也只是一声叹息。每一具尸体的背后，都有一个冷漠而讽刺的世界。另一具相似的女孩尸体，依然摆在殡仪馆，亲友杳无音讯。

胜哥靠在墙边，缭绕的香烟遮住了他阴郁的表情。

我有很多次机会能看到女孩的样貌，只要在警方的系统里输入她的信息。

但我知道，她需要的是真相，不是同情。

接过女孩的死亡证明，我在死亡原因一栏工整地写下5个字——机械性窒息。这张纸，我一年得签上百张，但这次签的时候,我由衷地希望,下一张上的名字,属于另外那个还在殡仪馆的女孩。

一束冬日阳光打到不远处大楼的玻璃上,又反射过来,我眯着眼,隔着玻璃望出去,满眼金黄。

直到今天,我还是不知道这个女孩的样子。

# 02

## 寻找失踪的孩子

**案发时间：** 2015 年 12 月

**案情摘要：** 城南小学 6 年级学生何小钰，12 岁，于上学途中失踪。在上学必经路口的治安监控录像中，发现小钰跟一个身穿深色运动外套的男子离开。

男子是谁？他们去了哪里？

"当警察都觉得不对劲的时候,很多事就真的不对劲了。"胜哥回忆起那起案子时对我说。

2015年年底,已经换上冬执勤服的我,在好几个微信群看到同一条信息——

城南小学6年级学生何小钰,于今早上学途中失踪。走失时穿蓝白色校服,望见到的好心人及时告知或报警。

下面附有家长的联系电话,还有一张小女孩穿着蓝白色校服站在草坪中间、一脸笑容的照片。

胜哥在办公室找到我,将他的手机推到我眼前,继续下划,一连十几条说的都是一件事,就在3小时前,这个叫小钰的小姑娘失踪了。

我们俩朋友圈里的亲戚朋友,就连警队的同事都在转发。

我意识到事态的严重性,一抬头,正对上胜哥的眼睛,突然心里一个咯噔:我是一个法医,他这时候来找我,难道小姑娘已经遇害了?

18年的法医生涯中,我参与的失踪案虽然不多,但也有些经验。

第一,失踪案就像一场赛跑,必须争分夺秒地寻找当事人，晚一分钟都可能发生大事；第二，如果失踪的是个孩子，那我们还得"跑"得更快点。孩子没有任何反抗能力，如果被不法之徒绑架，可以说必定会受到伤害。

胜哥像是看出了我的担忧，他说："女孩还没消息，只是我发现了些线索，想让你一起看看。"

案件发生之初没有任何头绪，能多拽上一个人帮忙，对胜哥来说也是种安慰。

其实我能理解胜哥的焦虑，不仅是因为我和胜哥都有女儿，主要原因是，我们俩经历过一起更紧迫的儿童绑架案。警方逮捕嫌疑人时，打开他家橱柜，一个捂着脖子的小男孩走了出来。男孩的脖颈被割开，气管断了，动脉没断，见到我们时很安静，因为说不出话。

最终抢救及时，男孩幸存下来。但这件事也给我和胜哥留下了心理阴影，小孩失踪了，真的不能等，我们抢来的一分一秒，说不定就能换来孩子的一条命。

距离小钰失踪，已经过去 4 个小时。

案件热度的发酵远比我们想象得要快。

当时正值"打拐"题材电影《亲爱的》热映，小钰这则寻人启事就像实时上演的电影一样，在本地各个微信群疯传。

城南小学的学生、家长和老师迅速转发起来，仅仅一个上午的时间，点开任何一个本地微信群，都可以看到小钰走失的消息。临近中午，本地媒体的跟进报道又进一步确认了消息的真实性。

大家的反应，颇有两年前那场轰轰烈烈的"长春婴儿保卫战"的势头。

2013年，长春曾发生过一起婴儿失踪案，偷车贼将婴儿连车一起偷走。案子发生后，很多市民在社交平台愤慨转发，媒体也在第一时间跟进报道。在全城人的努力下，案犯迫于压力最终到公安局自首。

消息的大规模扩散惊动了领导，小钰失踪的当天中午，胜哥被叫进队长办公室。

"找孩子这种事不一向都是派出所处理吗？"胜哥刚刚出差回来，下午原本准备休假陪老婆的。

"现在全城都在转发这个消息，局长都来问了，你先搭把手。"队长劝道，"回头多给你补两天假。"

胜哥随即抄起车钥匙。这种案子可等不起。

胜哥到达辖区派出所的时候，刘所长正在训斥自己的下属。派出所的迟缓应对，让案子从接警到现在毫无进展，但事件的影响还在不断扩大，以致局长都亲自来过问。一时间，派出所上下都成了热锅上的蚂蚁。

一个小学生在上学途中失踪，失踪前没有和家人争吵，也没有既往仇怨，更没有债务纠纷。虽然失踪时间不算长，但心急如焚的父母反复保证，自己的女儿乖巧听话，绝不会到处乱跑，老师也认同这一点。交警队和医院也确认过，当天上午，小钰上学路段没有发生过交通事故。

表面看来，案情实在找不到什么可以下手的地方。

所长派出全所一半人手，骑着摩托车，沿小钰上学的路线询问。胜哥和派出所剩下的五六个弟兄分头在电脑上翻看监控视频。

很快，他们有了发现。

一个路口的治安监控录像中，早上7点多，身穿蓝白色校服的小钰，跟一个穿着深色运动外套的男子出现在画面里。两人离开的方向，和小钰上学的方向完全相反。

获得新线索后，胜哥冲回办公室，此时距离女孩失踪，已经过去9个小时。

很快，办公室大门被推开，胜哥径直朝我走来。

他把那段没头没尾的视频发给我，我看着小钰跟人离开，有些不知所措。

"我找过小钰父母了，他们都不认识这个男的。"胜哥停下来，等着我的回应。

小钰失踪后9个半小时。我和胜哥赶到视频中小钰走失的那个路口，对照着录像里的位置，我站了过去。

这是一个普通的十字路口，治安监控正对着路口的斑马线，嫌疑人就是从我脚下这个地方带走小钰的。

人行横道的绿灯亮了，路口的车都停了下来，我点开手机上的秒表，想象着嫌疑人的样子，略带匆忙地模拟。一步、两步、三步……20米宽的路口，他花了21秒，来回走了2遍，总共32步。

他和我的身高、体形很接近，步伐基本一致。

我反复看了几遍，发现视频中的男子在路口停下的时候，还有过弯腰的动作，不知道是在和小钰说话，还是在确认小钰是不是乖乖跟着自己。

我试图在路边寻找他有可能留下的烟头、痰液或者其他什么东西，但是早晨的洒水车和扫地车已将所有痕迹统统带走了。

视频的最后，他们沿着路边的人行道离开了监控范围，我抬头看着那个方向,不由得心里一紧。

那里通往一个城中村。

虽然我很不想承认,但带着一个小女孩步行,不可能去太远的地方,眼下那是他们最可能落脚的地方。

摆在我们眼前的是又一个难题,那是全市最乱、监控最少的地方,并没有太多可以调取的视频。

留给我们的时间不多了。

胜哥担心打草惊蛇,这段记录着小钰最后一次出现情形的视频并没有向外通报。他寄希望于在进一步的视频排查中,锁定嫌疑人的活动地点。

当晚,警队的大楼灯火通明,队里没有紧急任务的兄弟都和我做着一样的事——在数百个小时的视频中,一帧帧地寻找小女孩和嫌疑人的踪迹。

已经入冬了,外面是呼啸的北风,办公室里却只能听到点击鼠标的声音。烟灰缸中不断堆积的烟头让空气愈发浑浊,每人手边都是浓茶。

直到深夜,全队上下200多人的努力,也只换来一丁点进展:在进入城中村的路口,发现了嫌疑人和小女孩的踪迹。

胜哥看完视频,穿上自己的保暖冲锋衣,一头扎进了出租楼林立的城中村。

夜色已深,城中村小巷纵横,路灯昏暗,这里聚集着一些没有家的人。这些漂泊无依的人挤在一间间出租屋里,为着能看到明天的太阳,醒来或睡去。彼此不知道姓名,也不在意。

胜哥试图从一个个店铺老板口中问出小钰的踪迹,又拦下混迹于大街小巷的男男女女,希望他们知道点什么。

但没有人提供任何线索。

此时距离小钰失踪，已经过了整整 17 个小时，正值失踪案件的黄金救援时间。

胜哥远远地望着城中村深处醒目的招牌，可以确定的是，这就是我们和嫌疑人最后的赛道了。

巷子里的出租楼，在黑漆漆的夜色中像沉默的怪兽，张开血盆大口吞没了闯入其中的嫌疑人和小钰。

现在，我们也要走入它的地盘了。

进入城中村以后，时间成为我们最大的敌人。

小钰失踪的第 26 个小时，消息还在进一步扩散，隔壁市的同行都打电话来问我，是不是确有其事。

另一边，我也在火急火燎地进行工作。小钰的父母被叫来采集 DNA 样本，以备后续的检验。

这是我第一次见到他们，两人都红着双眼，满脸疲惫，一步一晃地走进来。

小钰的母亲忍不住问我，现在警方到底有没有查到什么线索。提到自己的女儿，她的眼泪止不住地流下来，小钰从来没有让父母失望过，父母也一直把她当作掌上明珠，尽自己所能把她送到附近最好的城南小学。但是现在女儿失踪已经超过 24 小时，依然没有一点音讯。

小钰的父亲和我告别的时候，又塞给我一张小钰的寻人启事传单。在那上面，我再次看到那个穿着蓝白色校服的小女孩，站在草坪中间，一脸笑容。

而我没有告诉他的是，警方目前掌握的全部线索，只是在视频里远远看到嫌疑人的侧脸。

时间在一分一秒地流逝，胜哥那边也在寻找着新的突破口。

整整一个白天，我们调集了临近几个派出所200多名警力，对每一个进入城中村的人进行询问。治安队员拿着地图，对每一个巷道、每一栋出租楼，逐一清查。

胜哥和兄弟们则换上便衣，腰间别着上膛的手枪，扎进小巷，他们得走到大部队的前面。如果那些大面积清查算是打草惊蛇，他们就得在棍子惊动起蛇的时候，击中它的七寸。

城中村里人不多，多数住客都在外上班，留在房里的只有少数夜班后补觉的人。

经过一个白天的努力，200多个警察敲开了整片区域超三分之二的出租屋。

有人觉得胜利在望，更多人却觉得希望越来越渺茫。因为没有人知道，那些敲不开的门背后，躲着的到底是人还是"怪兽"。

胜哥甚至会想象，在某扇没有敲开的门背后，某个拉着窗帘的窗口，有个身影正静静地注视着这一切。

小钰失踪的第43个小时，形势逐渐变得严峻，大家的体力也快要跟不上了。

自从昨天开始，第一轮城中村调查已经持续了17个小时，胜哥又累又饿，但还是坚持穿梭在蛛网般的小巷里和那些杂货店老板套近乎，跟遇到的打工仔探听消息。

巷子里除了偶尔下夜班的行人之外，只有喝得烂醉的酒鬼。那些平时就在灰色地带生存的人们，早已嗅到不寻常的气息，一溜烟躲进了更暗的角落。

又盘查了一个行色匆匆的冒失鬼后，胜哥钻进了旁边不起眼的一条黑漆漆的小巷。路灯是坏的，他打着手电筒刚走到一半，一大片刚刚拆完的荒地毫无征兆地出现在眼前，在浓稠的黑暗里像一只青面獠牙的怪兽，静静注视着、蹲守着，一声不吭却让人心惊肉跳。巷尾隐约能看到一栋破破烂烂的三层小楼探出头来。

可能是嗅到有人靠近，也可能是被胜哥晃动的手电光惊动了，两只硕大的老鼠从荒地里窜了出来，一头钻进他脚边的下水道。

胜哥被吓了一跳，他说不上来，但就是觉得这条巷子，或者说眼前的这栋楼，有点怪。

突然，裤兜里传来手机的震动，胜哥心里暗骂一声，接起电话，队长召集所有人回局里开碰头会。

转身离开时，胜哥又回头看了看巷子尽头那栋孤零零的小楼，暗暗记下位置。

这个地方有点邪门，他打算下次从这里开始查。

胜哥不知道，那只他苦苦寻找的"怪兽"，此时此刻就在离他不到 30 米的地方。那一晚，是他离改变结局最近的一次。

第三天早上 6 点半，只睡了 4 个多小时的胜哥又钻进了城中村。要想堵住里面的人，就得比大多数人起得更早。

他再一次拐进昨晚那个来不及查看的巷子。

虽然只有一个侧脸，但胜哥已经在脑子里把那半张脸描画了千万遍，他猜测，那家伙会不会就在这附近。

白天的巷子冷冷清清，没有行人，昨晚经过的那片荒地乱石横生，野蛮生长的杂草从缝隙里支棱出来，里面丢弃着各色垃圾。

胜哥再度站在那栋三层小楼前，从上到下打量了一番，这回看得很真切。就在他准备敲门的时候，门突然开了。

一个男人手上拎着个黑色塑料袋，正准备出去。看到胜哥的时候，他明显愣了一下，像是没想到一大早在门口撞见个生面孔。

胜哥盯着眼前这个穿着深色运动服的男人，心中一动，敲门的手慢慢放下，摸向腰间——那里是已经上膛的手枪。

男子察觉到不对劲，将手中的垃圾袋往胜哥身上一扔，夺门就跑。

胜哥甩掉手里的包子，也没有躲迎头砸过来的垃圾袋，第一时间就冲了上去，甚至没来得及拔枪。

狭路相逢，他还从来没有怕过谁。

男人并不强壮，一个简单的绊腿扭臂，就被胜哥轻松拿下。胜哥将男子的双手别到背后铐住，按到住所门边的墙上，一手拉着手铐，一手腾出来清理粘在自己身上的垃圾。

突然，胜哥停下动作，气血一下涌上脑门，他手上拽着男人，猛地一脚踹开房门——"怪兽"现形了。

小钰和嫌疑犯共度3天的地方，出现在他眼前。

我赶到审讯室的时候，已是当天下午两点。浑浊的空气中，胜哥和他亲手铐回来的嫌疑人相对而坐，两人脸上都是同样的疲惫。

胜哥接过我递过去的盒饭，把椅子挪到旁边，让开了电脑前的位置，上面是刚刚完成的笔录。

审讯已经持续了7个小时，是胜哥记忆里最顺利的一次。不用逼问，不用诱导，只是坐在那里听着。栏杆那头，那个叫徐国昌的男人,一直在平静地叙述。

这种冷血的态度,才是这场审讯真正折磨人的地方。

徐国昌在我们面前用最稀松平常的口气,讲述起小钰失踪的那个早上。

3天前,一切都还没有发生,徐国昌也只是一个普通到不能再普通的打工者。

当天早上7点,天气很冷,他站在客运站的出口等了一个小时,不停地打着电话。他期待的人没有出现,对方的电话关机,无法接通。

他在等的人叫肖慧,两人算是青梅竹马的同学,从小学到初中都在同一所学校上学。

他们在学生时代并没有过多的交集,但在异乡偶然重逢后,徐国昌发现,与她的相处,成了自己在这个冰冷城市最温暖的倚靠。

他开始追求这个心目中的女神:电话不断,时不时送礼物,甚至还会跑到肖慧的公司门口和住处门口等候。只是肖慧并不领情,徐国昌的每一次表白等来的都是拒绝,但徐国昌觉得自己的这份真心迟早能打动她。

但在这个寒冷的早晨,徐国昌第一次觉得失望。

和他约好早上6点半见面的肖慧并没有准时出现在车站,徐国昌饿着肚子,在寒风里一遍又一遍地拨打着肖慧的电话。

7点15分,在重复拨打了37次之后,肖慧的电话终于接通了。

电话那头传来熟悉的声音,肖慧解释说手机关机充电,没接到电话,老家的奶奶生病了,自己只好推迟回来的时间。

徐国昌分辨不出肖慧说的是真话还是假话,但对方不耐烦的语气让他愈发得冷。

"就算是真的,难道她不能提前打个电话告诉我取消了行程?我为她连命都可以不要,她为什么这样对我?"在审讯室里,徐国昌向胜哥大声倾诉着,他的心中充满了愤懑之情。

而肖慧显然低估了徐国昌性格的执拗,甚至极端。

回家路上,经过一个路口时,徐国昌远远地看见一个身影,那是一个穿着蓝白色校服、扎着单马尾的小女孩。

距离越来越近,对方圆圆的脸蛋和大大的眼睛愈发清晰。一瞬间,徐国昌觉得,"这个小女孩,真像小时候的肖慧"。

他的心越跳越快,就在小女孩即将和他错身而过的时候,他伸出手,拦下了小女孩。


一个普通人走向犯罪,需要多长时间?

这是我和胜哥从来没有讨论过的问题。但凭借经验能判断的是,这并非是一日之内就能产生的变化,真正可怕的,是过程中一个又一个微小的选择。

审讯室里,徐国昌仍在复原当天的经过。

那天,他盯上小钰之后,伸手挡住小女孩的去路。

"你是城南小学的?"他弯下腰,瞄了瞄小钰的胸牌。

小钰有点害怕,点了点头。

"我女儿的作业没带,你跟我去拿下作业,再把作业交给李老师就好。"徐国昌根本就不擅长说谎,连小钰这种孩子都能看出来。

小钰警惕地摇摇头,她并不认识什么李老师,眼前突然蹦出来的怪叔叔也并不让她觉得可信。

徐国昌一把扯下小钰的胸牌塞进自己的裤兜,假装生气地说道:"不帮我拿作业,你就不是好孩子,我就不还你的胸牌!"

最终,小钰红着眼睛,委屈地答应了徐国昌的要求。这个12岁的孩子显然没有意识到,胸牌远没有安全到达学校重要,也没有意识到这个决定将带来什么样的后果。

绿灯亮起来,她跟着徐国昌走过了路口。

学校在视线里越来越小,徐国昌没有停下脚步,前方就是城中村了。

迎面而来的都是低着头匆忙上班或上学的人,大部分店铺都关着门,只有早餐店门口排起了长队。没有人注意到,这个行色匆匆的男人和这个小女孩。

街头巷尾一片狼藉,徐国昌离开主街道,带着小钰钻进一个仅能通行摩托车的小巷。狭小的巷子把街道上嘈杂的声音隔离开,徐国昌带着小钰走到自己居住的出租楼门口。

这是一栋三层小楼,孤零零地立在巷子的尽头,比其他楼都要偏,都要破。你可能从它跟前走过很多次,都不会抬头看它一次。旁边是一大片荒地,表面的杂草乱石让人觉得,这里不会住人。

整栋楼,除了一楼两个早出晚归的干零活的工人,就只有住在三楼的徐国昌。

这时候徐国昌已经不需要伪装了,他一把扯过小钰,将她悬空夹起拖拽着带上三楼。小钰用力地掰着徐国昌的胳膊,但力量悬殊实在太大,她正准备呼救就被徐国昌的一只大手捂住了嘴巴。

"嘭"的一声,徐国昌关上了房门,"怪兽"的血盆大口短暂开合,将小女孩吞了进去。

小楼又恢复了平静，没有人发现，这里正困着一个小女孩。

作案当天，到家之后。徐国昌看着眼前哭泣的女孩，心中原本的不忿和怨气散了一大半。接下来要怎么办，他暂时没有想好，但现在他有足够的时间。

小钰一边抽泣着，一边哀求徐国昌，希望对方能让她回家。

"闭嘴，别哭，小声点。"低声怒喝和猛烈的耳光，这是徐国昌给出的回答。

小钰从没经受过这样赤裸裸的暴力，她一手捂住自己的嘴巴，一手捂着疼痛的脸，冲徐国昌瞪着眼睛。

徐国昌放低声音，说："我并不想伤害你，只是想找人说说话，只要你乖乖听话，过两天就让你回家。"

恐惧和委屈让小钰止不住自己的眼泪，徐国昌一会儿低声安慰，一会儿又凶神恶煞地恐吓。

狭小的房间里，和肖慧有点相似的小女孩是如此柔弱，她没有任何选择的余地，也没有任何抗拒的能力，就这样被他攥在手心里。

徐国昌再也不会被忽视。他开始有一搭没一搭地向小钰倾诉，因为他已经有段时间找不到认真听自己说话的人了。

胜哥让他重新讲了一遍倾诉的内容，我发现，这是个极度以自我为中心的人，他从来只在乎那些自己被伤害的经历。

他回忆小时候父母不和，多了一个弟弟之后，给他的关心就更少了。他回忆与女神的异乡重逢，一开始，肖慧还对他温柔耐心，但随着时间的推移，徐国昌发现对方态度冷淡，哪怕自己以死相胁，对方也不为所动。

当时，小钰坐在他对面，安静地听他诉说命运的不公，徐国昌觉得很满足。

他从来没有想过，小钰只是一个12岁的孩子，此时此刻应该待在学校，而不是被绑在阴冷的出租屋，听一个情绪极端的男人宣泄痛苦。

我很想告诉徐国昌，如果他那时放了女孩，或许连非法拘禁都算不上，就不会发生后来的事。

"至于被抓到会怎样，明天会怎样，我那时候还不关心。"他对我们说。

徐国昌没抓住这次机会，错误的选择，正引他走向另外一条道路。

之后几个小时里，徐国昌变了，变得瞻前顾后，他一直监视着小钰，担心她逃跑，他越来越像一个真正的绑架犯。

藏了这么大一个孩子在屋里，两个人吃饭成了难题。

徐国昌不敢叫外卖，他担心小钰向送外卖的人求救。最近的便利店来回只要5分钟，但房门不能反锁，他也没法放心地外出，只要离开，小钰就有逃跑的可能。

徐国昌想到一个办法，他告诉小钰，整栋楼只有他一个人，逃跑就会被狠狠地揍。然后他假装出门，藏在门口静静地蹲守。

小钰上当了，她在徐国昌出门后不到一分钟就试着偷偷开门，换来了徐国昌凶残的拳打脚踢。

如此试探了几次，小钰不敢再出门了，徐国昌就快速跑到便利店买吃的。

再开门时,他满意地笑了。小钰捂着挨揍的地方,安静地坐在床边。

这个小女孩已经彻底被眼前这只"怪兽"吓怕了。

窗外已经漆黑一片,微弱的灯光从窗帘的缝隙透过来,外面霓虹闪烁的地方似乎触手可及,却又格外遥远。

她已经在这个小房间里待了一整天了,看着躺在自己边上的徐国昌,小钰一动不动。或许因为,她害怕对方在装睡。

徐国昌告诉我们,因为担心小钰逃跑,他确实没敢熟睡,大多数时间都眯着眼看着小钰。

"当时我就想,这要是肖慧该多好啊。"

第二天早上醒来时,徐国昌伸手往旁边一摸,空的!他猛地坐了起来,发现小钰睁着惊恐的眼睛,远远地蜷缩在床角。

徐国昌用冷水胡乱冲了一把脸,回到床边拿起手机,肖慧给他发来了信息,说已经买好今天的车票,下午就到。

他条件反射似的迅速回着女神的信息,在肖慧询问"是否今晚见面"时,他抬头看了一眼小钰。

他乱了。肖慧答应见面,这是自己想要的结果。

当下对他来说最好的选择,就是放了小女孩。虽然构成非法拘禁,但刑罚过后,他的人生还有机会回到正轨。

徐国昌点燃了一支烟,这是他昨天买的,人生中第一支香烟。他在呛人的烟雾中咳嗽起来,这玩意儿抽起来比他想象得要难受,而且没劲。

徐国昌陷入一瞬的沉寂,他看着床上那个柔弱的小女孩。该想想怎么办了。

最终,徐国昌做出了决定,他在手机上敲下了这行字,发送给肖慧:"明天中午,或者后天中午吧,这两天有事情要忙,到时再给你打电话。"

徐国昌没有放下肖慧,他只是觉得,小钰还留在房间里,自己走不开,根本没法去见人。

他又去昨天的便利店买了更多的泡面和饮料,在等待付钱的时候,他听到老板和另一个顾客谈论起小女孩失踪的消息。

他低着头迅速付了钱,拎着东西就往自己的出租屋里跑,心里想着难道自己拐走小女孩的事情被人知道了?

在进楼门的瞬间,他就听到从楼上传来的脚步声,一瞬头皮发麻,三两步冲了上去,只见小钰已经下到了二楼的转角。他丢下吃的,扯着小钰的头发粗暴地把她拖进房间。

教训完小钰,他回想起杂货店老板谈论的内容,气喘吁吁地点开了这两天都没怎么注意的微信群和朋友圈,到处都是小女孩失踪的信息。

他没有想到事情居然如此轰动。很多家长和热心市民在自发寻找小钰,连本地的新闻都在报道,目前已经出动了上百警力。在警方发布的最新消息里,甚至已经有嫌疑人的照片——他们经过路口时监控拍下的侧脸。

图像虽然并不清晰,但徐国昌非常确定,画面里的人就是自己。

为了抓他,整个城市都动起来了。他觉得街上经过的每个人都是警察,而自己就在警方包围的中心,下一秒就会有人撞开他的大门。

徐国昌天真地以为,自己可以神不知鬼不觉地逃过警方视线。但遇上这种孩子走失的案件,更容易激起人们协助破案的积极性,要想逃过去,可能性是微乎其微的。

现在放了女孩，一切都有挽回的余地。为了让犯罪分子能迷途知返，法律还给他们留了最后一丝机会，不至于把他们逼上绝路。

但徐国昌已经丧失理智，他又做出一个让自己彻底陷入深渊的决定。

他扯过一根电源线，勒住了小钰的脖子。

胜哥与出门丢垃圾的徐国昌撞个正着，打斗中，他发现自己的牛仔裤上粘着一缕湿漉漉的长发。

胜哥抬头看了看眼前被他扭成麻花、上了手铐的徐国昌的齐耳短发，再低下头看脚边散开的垃圾袋，里面有几个泡面盒子，还有一大团湿漉漉的长发。

这团长发让他心里"咯噔"一下：虽然抓到了凶手，却很可能错过了救援。

我在加入寻找小钰的队伍时，并不觉得自己能派上什么用场。但那一刻眼前的景象，我已经有很长时间没有遇到了。

我戴好口罩和手套，推开房门，十几平方米的房间内一片杂乱，即使是白天光线也十分昏暗。墙角遗留着吃完后没有丢弃的空饭盒，几只苍蝇围在上面。双人床上被褥乱卷，衣服拧成一团，一股腥臭味直冲脑门。

我在厕所门口停下了脚步，厕所正中，一个装着大半盆水的红色澡盆里，漂浮着数十块肢体，头颅就放在旁边的地板上。

小钰遇害了，还被碎尸了。

对不起，我们来晚了。

作为法医的我见惯生死，溺水、高坠、割喉，甚至高度腐败的尸体也只是普通的日常工作，但是作为父亲的我，每次面对儿童的尸体时，心里都打战。

她还那么小，几乎还没有见识过世界的美好，就遭遇了如此残忍的命运。

我打开准备好的物证箱，在心中默默对小钰说："别怕，我来带你离开这里了。"

巷口拉起了长长的警戒线，在出租楼旁边的荒地里，我们发现了沾染血迹和食物残渣的校服和书包，那是小钰的随身物品。

徐国昌将女孩杀死后，外出买分尸工具时，顺手将衣服丢弃在了荒地里。

我想起胜哥告诉我在这里遇到两只大老鼠的事，我猜，昨晚胜哥经过这里的时候，那两只老鼠很可能是被小钰衣服上的血腥味引来的。

如果当时胜哥查到了徐国昌的房间，或许女孩的躯体能够保持完整。

巷子过于狭窄，勘查车只能停在外面的主街道，我将两个物证箱搬上车。

警戒线外，勘查车边聚集了很多人，探头探脑的围观人群低声交流着，随着我的靠近，那些嗡嗡作响的议论声瞬间停止，在我经过之后又爆发出更大的嘈杂。

我用力地拉上车门，将那些烦人的噪音隔在外面，将车上的广播声调到最大。

我不知道围观人群中，有多少人曾关注过小女孩的失踪信息，又有多少人帮忙转发、寻找过小钰的踪迹。

那些人或许终会忘记她，但我知道，我和胜哥都不会忘。

小钰遇害后的一段时间里,我们去了很多校园做安全讲座,为了让更多的孩子学会在面对陌生人的时候保持警惕,遇到危险要大声呼救。

讲台上,同事们告诉孩子要防性侵、防走失,提高警惕。我们反复强调两点——哪些地方不能摸,哪些地方不能去。

后来,每年开学季的时候,我们都会举办这样的讲座,孩子们可能一次听不懂,多听几次也能了解到。

另一个变化是,公安局每年夏天都会组织夏令营,招呼孩子们过来参观。我们想让他们知道,警察是保护他们的大人。

这些讲座和夏令营,就像是汽车上的安全带,也许在某一个时刻,就能帮到某个孩子。

但我真心地希望,他们永远用不上这些知识。

这些年,法医这一行干久了,我看到熟悉的街景感觉都会不一样。

胜哥也是这样觉得,虽然抓到了凶手,但小钰经过的路口,那条自己当晚曾驻足的小巷,成了他心中抹不去的疼痛记忆。

我不知道如何开解胜哥,那个泛着血水和腥气的红澡盆,也不止一次出现在我的梦里。

我脑子里的地图,是由一个个命案现场拼凑起来的。之前还没有导航软件的时候,大家通报案发地点,只要说"就在某某案现场的旁边200米",彼此就心领神会了。

但在干侦查的胜哥眼里,他有感触的从来不是最后尸体在哪里,而是案犯和受害者第一次相遇的地方,那是一切悲剧的开头。

胜哥说,案发后的两三年时间里,他每次经过小钰和徐国昌相遇的那个路口,都会停下来,打开车窗,漫无目的地四处看看,那里似乎还有一个小女孩在等待他去拯救。

# 03

## 27号命案

案发时间：2008年10月

**案情摘要：** 家具厂工业区边缘发现一具半裸女尸。

**死　　者：** 夏小兰

**尸体检验分析：**

下身赤裸，上身衣物处胸部以上，疑似遭受性侵。

左额头见创口缓缓渗血，死亡时间不长。

创口形状疑似方木棍造成，且伤口位置不高，凶手身高优势不明显。

2008年，广东佛山，最清楚当地发生多少命案的，除了警察，当属大排档老板。

我所在的公安局对面有个夜市，一到晚上，大排档就架起灯带，支开摊位，啤酒、滚粥，不停吆喝。

有段时间，案子密得像下雹子，每破一个，大家就要去大排档聚一次。3个月，26起命案告破，吃的宵夜远不止这个数。

那时我刚做法医4年，那段时间是我记忆中最忙却最顺当的日子：刚买下新房，孩子即将出生，当然还有最关键的一点，那条"不败纪录"——锁定26起命案凶手的关键证据，都出自我手。

以前破案，靠的大多是侦查员和情报员，他们经常没日没夜地在外面找线索、追踪嫌疑人。但那年，区里新建了DNA实验室，那是我们法医少有的，能够直接锁定凶手的武器。

实验室就像我的福地，自从有了它，我似乎就没搞不定的案子。从命案现场提取到物证，把数据录入数据库，接下来只要轻轻按一下回车键，就能比对出嫌疑人。

有人说，胜哥他们搞侦查的，3年就算老刑警。但我们这些法医，得10年才算是资深。

现在看也确实如此。那时，我还是个资历尚浅的小法医，但胜哥已经是外侦的绝对主力了。

我们算不上搭档，但经常在出现场的时候碰上。

一天早上，我将勘查车停在家具厂工业区的边缘，我们接到报警，这附近发现了一具女尸。

匆忙赶到现场，一边是空置的荒地，另一边不远处就是一条小河沟。虽然已是冬天，但河沟一侧依然长着半人高的芦苇草，翠绿且粗壮。

我拎着勘查箱，往草丛中钻去，草叶边缘的小锯齿刮着我的手背，引起阵阵刺痛。

草丛里站着个大高个，是胜哥。他先我一步到，正眉头紧皱，用签字笔在小本子上记录着现场情况。

一处被踩踏倒伏的草丛中央，我看到了一个半裸的女孩。她仰面倒在茂盛的草叶上，一条裤腿被脱下来，露出赤裸的下半身，上身衣物也被拉到胸部以上——一个典型的性侵受害者。

我摇了摇女孩已经僵硬的膝盖，凑近了一些，发现女孩左额头有一个创口，还在向外缓缓渗血，说明死亡时间不长，悲剧应该就发生在前一天晚上。虽然这里距离厂区不远，但是这条路上没有路灯，晚上会格外得黑。看创口形状，应该是方木棍造成的。

我几乎是下意识联想起一个月前那两起强奸案，同样是偏僻的小路，同样是高草丛，有个男人专门藏在暗处，看到落单的女工先是拿刀相威胁，然后拖进河岸边齐腰深的草丛里抢劫、强奸。无论是凶手选取的作案地点，还是采用的作案手法，都太像了。

从女孩的伤口看，凶手是从正面击打了她的头部。伤口位置不高，颅骨的骨折也不算严重，凶手应该没有太明显的身高优势。

这种情况下仍然选择正面袭击，这让我有些意外，说明凶手甚至不屑于伪装和隐藏，对自己一击即中相当有自信。

女孩颈部圆形的瘀伤提示我，她曾被人狠狠掐过脖子。

我和胜哥对视一眼，换上双新手套，开始干活。

虽然女孩的衣服上没有留下什么痕迹，但我在她身上提取到了检材。

当晚，整个刑警队都亮着灯，我独自一人上了5楼，打开了DNA实验室的门。

实验室是我最熟悉的地方，这里的结构和布局是我设计的，仪器设备也是我一台一台调试的，我能闭着眼睛找到任何一台仪器，并准确说出它所有的性能和参数。

那时候，实验室只有100多平方米，按照规模来说，能排进全国十名以内。当然，是倒数。

但对我而言，这里绝对是除了家人以外，我最宝贝的。

市局早几年就有了DNA检验的技术，不过那时还属于昂贵而稀缺的技术。队长天天派我去蹭场地和设备。除了学习DNA检测技术，我还憋着股劲儿——筹备自己的实验室。

两年过去，实验室总算筹备完成，我在这里得心应手，创造了26起命案的"不败记录"。这个案子是实验室建成后，我接手的第27起命案，说实话，我没觉出有什么难的，前面26起案子都破了，这起会有例外吗？

对于法医来说，如果能提取到有价值的物证，工作就完成了一大半。因为检验出 DNA 属于谁就相当于掌握了凶手的信息。至于凶手在哪，如何抓到他，那是胜哥他们要操心的事。

怀着放松的心情，我戴上手套，把从女孩被害现场提取来的物证，剪下米粒大的一块，放进试管里。

我相信，只要耐心等上 5 个小时，就能揭晓这 3 起连环案的谜底。

与此同时，胜哥正在现场附近的那片工业区里忙得晕头转向。

胜哥调查到，女孩名叫夏小兰，在距离案发现场不到 500 米的隆盛家具厂上班，那儿成了胜哥重点排查的区域。

到了家具厂，胜哥前脚刚踏进加工车间，后脚就赶紧退出来。车间里油漆味刺鼻，地面上随处可见刨花。

他下意识想到女孩头部的伤口，能够造成那样伤口的方木棍，厂里到处都是。

电锯刺耳的声音混合着其他噪音在车间里回荡，几十个工人正在干活。虽然外面的气温不足 10 摄氏度，但此刻工人们头上都在冒汗。

这座工厂距离案发现场最近，会不会是工厂同事趁女孩下班，尾随作案？

"老板在吗？公安局的，来问点事儿。"胜哥大声吼了一句。车间角落，一个年近五十的女人从办公室里探出一张圆脸，示意胜哥过去。

"真晦气，又死一个。"

女人是工厂的老板娘，她皱着眉头告诉胜哥："前几个月厂里才有一个工人睡觉睡死了，这回这丫头又被杀了。"老板娘撇着嘴，忿忿地盘算着自己需要出多少丧葬费。

对于这个在自己厂里打工的女孩，她平时并没有怎么留意，还是在和女孩同办公室的会计的提醒下，她才把"夏小兰"这个名字和被杀的女孩对应起来。

在会计的描述中，胜哥大概勾勒出了夏小兰的基本情况。

夏小兰是江西人，19岁，在厂里工作已经两年。她很能吃苦，男人能干的活她几乎都能干。最近厂里加班赶工，她经常上夜班。

夏小兰一个人住，没有男朋友，家里人也都在老家，女孩每个月都把钱寄回去，没听说与人有经济纠纷，更谈不上有什么仇家。

这个生活轨迹简单的女孩，看上去只是运气不好被人盯上了。但这些信息对胜哥来说并不简单。越是随机的作案，越难查到直接的线索。

胜哥推开办公室的门，打量着热火朝天干活的工人们，清一色的青壮男性。

像这类生产纯木桌椅的家具厂，工人基本都是青壮男性。除了老板娘和女会计，夏小兰可能是厂里唯一的女性了。

在这种男人扎堆的地方，一个稍微有点姿色的女孩，必定是所有目光的焦点，凶手很有可能就藏在被害人身边。

这时，有个身材矮小的工人提着两个油漆桶从胜哥面前经过，眼神不偏不倚落在胜哥胸前的警官证上，他忽然低下头，加快了脚步。胜哥心里"咯噔"一下，办案直觉告诉他：这个小工有问题。

他紧盯着那个背影，果然，小工在转弯的时候又悄悄回头看，正好撞上胜哥的视线。

胜哥掐着点，在工厂外的小巷子里堵住了下班的小工。

小工浑身上下散发出浓重的油漆味，一见胜哥，低着头就要从旁边挤过去。好在巷子窄，胜哥猛地把人推到墙边，拧手、押胳膊、搜身，哗啦一下就给他上了手铐。

对付这些人，胜哥几乎是一套动作就把人拿了。

按照他的经验，狭路相逢，趁着对方犹豫的工夫，先把人制住，可以避免90%的危险。而且突袭之下往往有奇效，很容易突破对方的心理防线。他就曾不止一次在拿人的瞬间"炸"出对方的老底。

但这次，胜哥出错了。

可疑的小工没等胜哥开口，先主动交代了。

审问时，他说自己前一天下班之后，吃完晚饭就回了出租屋，3个同行的工友可以作证。并且，他的行动轨迹和案发现场的方向也完全相反。

他承认自己幻想过和夏小兰在一起，但最多和其他工友一起开开玩笑，从来不敢单独和女孩说话，他说："我知道人家看不上我。"

"那你见到我慌什么？"胜哥有些憋屈地问。

"我们老家那边有传闻，到过凶案现场的人身上可能跟着鬼，我怕小兰缠上我。"

这个说法让胜哥觉得有些可笑，但是他却笑不出来。弄错了嫌疑人，这对他一直很看重的"办案直觉"是个不小的打击。

或许也正是因为这次失败，才让胜哥加大力度，开始了真正的"大动作"——他把附近活动的流浪汉、吸毒人员一口气都纳入了排查范围。按照常规的侦查思路,没有直接的嫌疑对象,有类似作案前科的嫌疑人都是重点。但如此一来,排查越发困难。因为这些人身上不少都背着案底,回答问题总是躲躲闪闪。

我的师父曾经告诉我,侦查和法医做实验是不同的。"侦查讲究的是快,重拳出击。我们得慢,做实验就得按部就班,每一个步骤都不能省略,一次做好才是真正的快。"

提取到夏小兰身上的物证后,我第一时间开始了检验。现在这个案子最关键的物证,就在一个小玻璃管里,那里面有我想要的答案。

加水、搅拌、插入试纸条。液体一点一点浸润了试纸,两条深紫色的色带慢慢显现——阳性,有精斑留下。很好,一切都跟我想的一样。女孩的阴道里找到了男性精斑,胸部也检验出同一个男性的 DNA。

隔着口罩,我感觉自己呼出一口气,身体也随之放松。接下来,只要拿着这个结果去 DNA 数据库里比对,找到对应的人,这案子就结了。

但当我像往常一样输入检验结果后,屏幕上只有一片空白:没有匹配的人。

凶手的数据不在库里,这家伙居然没有前科。

我的比对失败了,只能寄希望于胜哥的排查。

我将这个消息告诉胜哥,电话那头,他呵斥着审讯对象,让对方小声一点,然后又拉近听筒说,他会尽快把嫌疑人找出来,送样本给我比对,说完就挂掉了电话。

胜哥没有告诉我的是,他也遇上了大麻烦——他的办案直觉好像失灵了，排查一无所获。

胜哥决定扩大排查的范围。

他在地图上画了一个圈，2千米的半径几乎涵盖了整片家具厂工业区，旁边还有成百上千的出租屋，涉及的人员近万数。

这样的排查无异于大海捞针，案件正在一点点偏离我们预期的方向。

快到年尾，之前的两起强奸案还没个眉目，这起同样手法的杀人案也陷入僵局，任谁心里都憋着一股劲儿。

越是没有头绪，胜哥越像发了疯。他开始用警用小面包车一趟一趟往回拉人，那架势像是要把整个厂区掀个底朝天。

清查厂区出租屋大概是胜哥一天中脾气最差的时候。出租屋里住的大都是工人，胜哥因为要赶着他们在家时去查，不是要起大早，就是深更半夜睡不了觉。

那几天，这些明明是警察的大老爷们儿都过得跟贼一样。他们蹲守在出租楼下，见人家一关灯就知道，睡了，人一准在里头。胜哥就带着手下的小兄弟挨家挨户敲门。

被清查的工人们常常一肚子怨气，早早睡下的被吵醒不说，一个个晕头转向地就被拉进车里。

他们被带回派出所采指纹，甚至扎手指、采血，过程慢而繁琐。派出所离厂区有段距离，后半夜早就没有公交车了，厂区偏僻，出租车半天也看不到一辆。排查完的小工们挤在派出所门口，哆哆嗦嗦地问："我们怎么回去啊？"

我问胜哥能不能安排人把他们送回去。说完胜哥才反应过来，招呼治安队员把人送走。

那段时间，几乎排查范围内的所有男性都被带了回来，我一晚上要扎四五十个工人的手。

以往的案件，我只需要做和嫌疑人的比对就可以了，排查历来都是胜哥他们的工作。现在，凭空增加的工作量让我十分疲惫，更糟糕的是，我发觉自己的心态渐渐起了变化：验的样本越多，我越慌。

原先手里那份"万全"的嫌疑人数据，帮助我破获了26起命案，怎么现在就失灵了呢？

我总觉得，能犯下连环罪案的凶手，应该是有前科的，该被录到数据库里才对。有时我会突然愣住，担心凶手是不是在初期排查时就被漏掉了，不然怎么这么久还没结果。

无意间听到的消息也会让我心里打鼓。有个法医同事因为检验出了错，把嫌疑对象搞错了。我赶紧翻出夏小兰案件的物证，重新一一检验，结果和之前的一模一样，我却开心不起来。

被拉来做采集的人越来越多。大家心里都明白，对自己的猜疑越多，对案子的底气就越少，我们已经开始盲目了。

正当我们万般纠结的时候，一个突发的警情让我们为之一振。

一天傍晚，在夏小兰被害现场附近的一个小公园里，又有一个女孩被人抢劫强奸。幸运的是，她还活着！

那个隐藏在暗处折磨我们多时的凶手，终于要露面了。

我们赶到公园的时候，太阳已经落山，稀疏昏黄的路灯让公园的小路显得格外幽静。

跟着带路的治安员，我在树林边看到了那个死里逃生的女孩。

那是我遇到过最冷静的当事人。女孩看上去只有十六七岁，红着眼睛，安静地坐在石阶上，衣物上满是尘土，她正在一点点摘掉长发上的杂草和落叶。

我蹲下来，询问了案件的细节。

傍晚时分，女孩正独自一人在公园里散步，3个20岁左右的小青年拦住了她。在抢走现金和手机之后，其中一个男人把她拉到树林深处侵犯了她。另外两人试图继续的时候，被经过的路人发现，三人随后逃离了公园。

作案的居然是个小型团伙？有3个人？

女孩细致地描述了几个案犯的衣着特征，甚至连其中一个男子衣服上的字母图案都记得清清楚楚。

在慌乱的情况下，能够记住一个人大概的相貌衣着都很不容易，女孩却能在遭遇侵害后始终保持冷静，这十分难得。虽然不远处就有公共厕所，但她并没有去清理身上的痕迹，因此所有物证都被完好地保留下来。

我和女同事带她去医院检查的时候，女同事握着女孩的手告诉她："证据在，这些混蛋跑不掉的。"

当天晚上，根据公园门口的视频，胜哥他们就找到了那3个人的踪迹，随后就在一家网吧里抓到了其中一人。

3个年轻人是同乡，从老家过来之后没找到正经工作，又没有其他技术，整天在城中村里晃悠。

还没等胜哥发挥出"审讯技巧"，被我们抓到的那人直接大喊要招供，不仅交代了整个犯罪经过，甚至连在出租屋偷看女生洗澡的事都说出来了。

唯独关于夏小兰那起命案，他一个字都没有提。

最后一棒又交到我手里，所有人都在等DNA的比对结果。我在心里默默祈祷，希望这次能像之前的26次一样。

把数据输入到库里时，我的手有点抖。

可结果让所有人失望了，抓到的嫌疑人的DNA与命案现场凶手留下的并不吻合，这只是一起和夏小兰案毫不相关的强奸案。

无论多么迫切，证据就是证据。我们让凶手溜了。

胜哥身上的烟味越来越重，胡子拉碴，黑眼圈叠了一层又一层。我知道，我们担心着同一件事。

眼看年关就要到了，所有打工的人都要回家，如果凶手趁这个时候逃走，我们可能这辈子都没机会抓到他了。

那是我们最后的期限，也是我们必须要过的一道坎。

年味儿越来越浓，工厂陆续停工，出租楼也接连关门闭户，拖着大包行李返乡的工人一批接一批。

返乡的工人们成群结队散去，我甚至想站在人群的最前方张开手臂，拦住他们。可人群一眼望不到头，我也没法那样做，我只能眼睁睁看着破案的希望随着人潮被一并带走。

我能做的只有努力地去看、去记每一张脸。

他们不确定来年是否还会回到这个地方，我们也不确定凶手是不是混在返乡人潮里，再也不回来。

留给我们的时间越来越少。

胜哥已经盯人盯到"眼红"，隔三差五就出门排查，到处捡拾被人遗落的"DNA"。

最典型的一次，一帮工人前脚从工棚出去，他后脚就拉着我进屋，把工人们刚刚扔掉的烟头一一打包。

我盘算着这些物证的数量，忍不住问胜哥："你的意思是，全部带回去比对？"

这起案件检验的 DNA 样本已经突破 300 份，再这么干下去，即便把队里全年的技术经费都砸进去，也坚持不了 3 个月。

胜哥倚着门框，看着我把烟头一个个装进物证袋，说："别人命都没了，我们能不拼命吗？钱的事，我再找队长说说。"

我们都知道，案件已经陷入死局，我们的做法达成的效果微乎其微，但我们不能停下。

夏小兰案的专案组只剩下 4 个人，而年关就在眼前。

胜哥登记了案发现场附近几乎全部人员的信息，名单厚厚一沓，上面有好几千个名字。他打算年后对照这份名单核查返乡的工人，看看哪些人没回来，再重点去查。这种大海捞针似的做法成了当时我们唯一的选择。

我们曾反复刻画过凶手的形象，推测他的体形特征，但是越研究，凶手的样子越模糊。他就是一个普通人，长着一张普通的脸。

春节假期一结束，厂区刚开工，胜哥就对照年前整理的那份大名单开始清查，但刚查了两个厂，就被队长叫停了。

跟进夏小兰案的外侦兄弟一个个都投入新的案件了，就他手里还捏着去年的旧案子。

"去年的案子破不了是问题，今年的案子就不是问题了？这个区今天冒出个飞车抢劫，那个区昨天又砍死人了，夏小兰的案子要管，那李小兰的案子管不管？都盯着旧案子，新案子还怎么破！"

胜哥把名单塞进了柜底，还有更多的真相在等待着他去查明。

后来胜哥约我吃饭，酒过三巡，他突然凑过来搭着我的肩膀，迷迷瞪瞪说："那小子肯定还会冒头的！我相信你，一定能抓到他！"说完一仰头，干了大半瓶。

现实是，谁也说不准案子能不能破，什么时候破。凶手并没有像我们期待的那样露面，他消失了。

但胜哥提出的方法，可能是对的。

一晃3年过去了，我在北京市公安局法医检验鉴定中心学习时，他们的辖区刚好发生了一起强奸杀人的案子，凶手在现场留下了精斑。

警方划定了范围，出动上千警力，采集了排查范围内5000个男性的DNA样本。

每晚10点，法医们会准时收到当天采集好的DNA样本，然后连夜检验出结果。上千人不眠不休地通力配合，这之前是我所不能想象的。

"DNA人海战术"奏效了。检验进行到第十四天，在比对了3800多份样本之后，凶手现身了。

我为他们的执着和投入所感动。在这之前，我觉得夏小兰案中排查几百份DNA样本已经算是下了大力气。现在看来，我们的魄力还远远不够。

我开始相信胜哥提出的大名单排查方案。

其实早在这之前，我就已经开始尝试他的方案。有次我碰巧路过夏小兰案现场附近的天桥，看到十几个搬运工正蹲在桥底等活。这些人在厂区活动，但是并不算工厂的固定员工，没有被工厂登记在册，流动性极大。

寻思了一会，我开始像胜哥当初侦查一样，跟路口的摩托车工和小货车司机对视：这些人的眼神不对，会不会也进过厂区？

看着看着，我突然觉得自己必须赶紧打电话给胜哥，问他有没有排查过这类人员。胜哥听完，只是笑了笑："你魔怔了，看谁都像凶手。"

从北京回来后，只剩下我一个人还在跟进夏小兰案。我重新审视案件的所有物证线索：凶手的DNA信息是我检验出来的，数据是我录入库里的，连数据库里留的联系电话都是我的。

这起案子成了我名副其实的"天字一号案"。

2015年，我们开始系统清理未破命案，那些厚厚的牛皮纸档案袋得以重见天日，当然，也有我的那一起。

断断续续进行的清理工作，让十几起沉案陆续被侦破，这些案件大多是通过DNA比对和指纹比对破获的。

随着一个个凶手落网，我给一份份档案出具了鉴定书。结案、归档，长长一列未破案件的档案里，夏小兰案的档案袋从最前面，慢慢被压到了最后面，然后再一次被我移到前面。

当事人会说谎，目击者会遗忘，视频会被覆盖，但凶手的DNA信息不会变，只要它在那里，哪怕10年、20年，我都能把他揪出来。

我在等一个机会。

那些年，我投入更多的精力去破小案，以积累更多的

DNA 样本，不断更新排查人员数据。

案发现场附近成了我重点采集的区域，周边地区只要发生类似的拦路抢劫强奸案，我会第一时间去比对。

后来，只要有外侦的兄弟去外省出差，我都会拜托他们带上资料去当地比对，我总担心凶手的数据没有被当地及时录入库。

每次有新的 DNA 检测技术应用到法医工作中，我也会翻出这个案子去试试。

我总会想起胜哥的那句话：凶手还会冒头的。

那一天，到底还是来了。

2019 年 3 月的一天，我刚从短暂的午睡中回过神来，办公桌上的手机就震个不停，那是一个归属地显示为贵州的电话。

简短地介绍完身份，电话那头的人说了一句我等待了 10 年的话——

"我们有一宗系列抢劫强奸案的物证，比中你们 2008 年夏小兰案凶手的 DNA 了。"

我猛地放下杯子，一边询问着案情，一边迅速点开 DNA 数据库的网页。

距离夏小兰被杀，已经过去了 10 年 4 个月零 8 天。

那个反复出现在我梦里的案件，终于有了转机。

虽然还不知道他的具体身份，但贵州警方已经锁定了凶手的居住范围，确定了凶手的样貌体态，那张一直模糊的脸终于被勾勒出最关键的几个细节。

我细细询问着贵州那边的案件情况，对方干脆把物证的

DNA 图谱发了过来。看到图谱的那一刻我终于确信,当年在现场物证中检验出的 DNA 信息没有让我失望。10 年等待,我终于摸到了他的尾巴。

我按捺住激动的心情,拨通了胜哥的电话,大叫道:"2008 年夏小兰案里凶手的 DNA 比中贵州的案子了!"

电话那头沉默了两秒,大约是还在咀嚼我那句话,然后突然传来胜哥升了两个调的声音:"那个案子?对出来了?"

没等我答复,胜哥已经挂断了我的电话,不到两分钟,我办公室的门被径直推开,他三两步冲了进来。

胜哥从我手上接过当年的档案,又找出压在柜底的自己写下的侦查笔记,当然,还有那沓厚厚的名单。

10 年之后,我们再度踏上追凶之路,这次是我和胜哥两个人。

胜哥第一时间飞去贵州,他觉得自己的直觉回来了。

他和当地的警方穿着便衣,找到了那个半山腰上的农家小院。山石砌成的围墙,院门虚掩着,胜哥站在院门边,兜里的手铐把裤子坠得有点歪,他做了两个深呼吸,又紧了紧腰上的皮带。这一刻,他等了 10 年。

轻轻推开院门,院子里,一个脸上脏兮兮的小男孩扭过头,呆呆地看着胜哥他们进来。正屋门口,一个老人正在打瞌睡,屋里空空荡荡,再没有其他人。

胜哥他们扑空了。

老人说,儿子和儿媳 2 天前刚刚离开家回广东打工去了,家里只剩下他和小孙子。

胜哥忽然觉得有点好笑,自己千里迢迢飞到贵州,算起来，凶手是在同一天离开这里，坐火车去了广东。

之后他们采集了嫌疑人父亲的 DNA 连夜检验，信息比对的结果显示：完全吻合。

那组在数据库里静静躺了 10 年的数据，终于在这一刻成了套在凶手身上的镣铐。这个家的男主人就是 10 年前在小河边杀害夏小兰的凶手。

胜哥第二天就坐飞机往回赶，但这个案子像是注定要留下些遗憾给他。他刚下飞机就接到消息，凶手已经先一步被刑警队的同事抓获了。抓人的地方，距离当初夏小兰被杀的地方，不足 4 千米。

凶手不仅当时没有走，甚至这十来年的大部分时间都在那个工业区里打工。

那年，他杀害夏小兰之后，因为没有抢到钱，一直留在附近的家具厂打工。胜哥排查过他所在的家具厂，但当时混在工人中的他并没有引起胜哥的注意。

因为他只会做木工，老家没有什么赚钱的机会，老婆又刚刚生产，正需要用钱，年后他便又回到了广东，这让他顺利躲过了胜哥对未返回人员的排查。

杀害夏小兰的第二年夏天，他骑着一辆二手摩托车撞上了路边的花坛，造成头骨粉碎性骨折。

这本是一个让我们发现他的机会，但因为是自负全责，警察并没有太多介入，他草草处理之后就回老家疗养了。疗养持续了两年，而那两年，恰巧是我们对案发地附近进行撒网式排查的时候。

茫茫人海中，他一次次从我们眼皮底下逃脱。除了发生交通意外那次，这些年，他没有和警察说过一句话，上街都会绕开派出所。

但是现在，10年，兜兜转转，一切都回到了原点。

第二天白天，派出所留置室。

隔着一道铁栅栏，我和胜哥终于有机会跟这个我们找了10年的男人面对面。我本以为自己的心情会非常激动，但那一刻我却格外平静。

那确实是一张普通的脸。凶手名叫韦金重，体形精瘦，1.7米左右的身高，穿着灰色的夹克和黑色的长裤，说话带有明显的地方口音。

在我的记忆里，那是胜哥职业生涯中审讯时间最长的一次，总共十几个小时，日夜颠倒。

起初，韦金重并不承认自己的犯罪行为，回答都格外简短，像是怕泄露什么秘密，不说话时就抿着薄薄的嘴唇发呆。

关于10年前的事情，他什么都不说。确实，这是最稳妥的办法，10年时间会模糊很多东西，我们也做好了他抵赖的准备。

只是凶手可以沉默，证据却能发声。陆陆续续抛出的物证一寸寸击溃了韦金重的防线，十几个小时的沉默抵抗后，他最终承认自己杀害了夏小兰。

他已经记不起作案的那天到底是哪一天，只记得那个晚上格外的冷。

晚上9点多，身无分文的他揣着一把菜刀出了门，老婆在家待产，他想弄点钱，想来想去，最快的方法就是抢劫。

他在家附近选了一条又黑又偏的小路，等了很久，骑着车的夏小兰从路的一头出现了。

看着对方孤身一人，他从草丛里蹿出来拦住了她，问她有没有钱。他举着菜刀威胁夏小兰，夏小兰试图骑车逃跑，韦金重在两人错身而过的时候，用刀背狠狠砸向女孩的头。

他把女孩拖到旁边的草丛里，迅速搜了她的衣兜，一无所获。但这个时候，他已经不关心有没有钱了，看着没什么反应的女孩，他觉得心里有什么在翻腾。趁着女孩没有任何抵抗能力，他脱掉了对方的衣服。

韦金重的交代仅止于此，对于那段时间另外两起相似手法的案件，他始终不肯承认。

"有证据你就弄我，怕啥子。"他抬起头，语气平静，眼神却带着深深的挑衅。

韦金重的话像是迎面给了我一记重拳。关于另外两起案件，我有太多遗憾。根据两个被侵害女孩的描述，两起案件的经过和作案手法几乎一模一样，案犯很可能是同一个人。只是被侵害的女孩都是第二天才报案，已经洗过澡，洗了衣服，甚至连手指甲都剪了一遍，没有留下任何有价值的物证。即便他嫌疑再大，我们也没有任何确凿的证据能证明这一点。

审讯结束后，我们带韦金重去指认案发现场。他戴着手铐和脚镣，走得很慢。

当年的小路已经变成宽阔的水泥路，那片荒草地如今已被人工绿化草地所替代。我们只能根据周边的河流和电线杆，推测当年夏小兰被杀的具体位置。

夏小兰当时所在的工厂已经搬迁，取而代之的是一个居民区。来往的居民好奇地打量着我们一行人，他们并不知道自己每天散步的河边，曾经发生过什么。

只有我看着不停息的河流，仿佛又回到了 10 年前，那片深深的芦苇丛里，赤裸的女孩还躺在那里。但是我知道，今天过后，她再也不会出现在我的梦里了。

贵州的系列抢劫强奸案最终也被认定是他所为，但我们这边的那两起案件由于没有直接证据，加上案发时间过于久远，受害人无法准确辨认凶手，最终无法认定。

虽然有些小遗憾，但更多的是解脱。

押着韦金重回看守所的时候，他在车上问了胜哥最后一个问题："是不是这回我不干这事儿，你们就抓不到我？"

"你能忍住不干坏事？"

胜哥拉着他的手铐，把他推进了看守所的大门。

# 04

## 无证之罪

## 案发时间：2012 年 10 月

**案情摘要：** 一放牛老汉在河边树林中发现一具无名白骨尸。

**死　　者：** ？

**尸体检验分析：**

上半身完全白骨化，双脚、小腿残留些许干瘪肌肉及皮肤。

头骨无伤，盆骨、四肢无骨折，基本排除交通意外后抛尸。指甲短且干净，足底未彻底腐败，无老茧，非流浪汉。

颈椎骨骼见3道平行切痕，刀杀？

一个正常的成年人全身共有 206 块骨头，堆在一起看着不多，提着也不重，但如果把它们平铺开来，在一张长 2.45 米，宽 1.1 米的解剖台上，居然会摆不下。

这是一具白骨尸带给我的新发现。

前一天下午，一个放牛老汉在河边小树林里发现了这具白骨尸。我们抵达河堤公路时，镇上接警的一个民警和一个辅警正坐在路边的车里吹空调。

"你们赶紧把尸体运走看看，这天气太热了。"

尸骨被发现的位置距离河堤公路 50 米左右，民警领我们钻进小树林，沿着坑坑洼洼的小路，绕了好几个弯才到现场。

当时，白骨尸就"躺"在那里，上身的 T 恤完全分辨不出原貌，也没有任何能证明身份的东西。

又一个"无名氏"。

这种尸体几乎是贯穿广东整个夏季的"特有产物"。30 多摄氏度的高温，小河边偏僻的树林里，有人自杀，也有人吸毒致死，当然，更常见的是病死的流浪汉。

这类尸体往往没有家属，没有围观群众，没有人过问，平均一个月我能接到三四具。处理得多了,大家也就见怪不怪。

拍照的同事似乎也觉得这些骨头不值得费太多工夫,对我说:"随便摆摆,拍几张就可以了吧。"

我看了眼手机,已经到下班时间了。身上的白衬衣已经湿透了,我有些后悔中午把警服送去了洗衣房,它被早上刚看的一具水浮尸熏得发臭,不得已我才穿自己的衣服来看现场。回去赶紧把衬衣塞洗衣机里,多加点消毒水,我满脑子都在想这事。

"速战速决。"

听我催促,拍照的同事将拿出来的物证编号牌又塞回袋子,和我七手八脚收拢起散落的骨头。

回到解剖室,我拉开黑色尸袋的拉链,大块的、小块的、长条的骨头乱七八糟地掺在一起,像套散了架的拼装玩具。

解剖台放不下这具尸骨,我在地板上摊开一张白色床单,开始"拼图"。

先是颅骨,我用双手把它从尸袋里捧出来。这是个极其漂亮的颅骨:没有头发,完整、干净,让我一瞬有种拿骨骼标本的错觉,而不像在验尸。

再是盆骨,接着是四肢、椎骨和肋骨。

他的上半身已经完全白骨化,仅有双脚和小腿残留些许干瘪的肌肉和皮肤,让人联想起卖肉档口挂的连着筋膜的牛羊骨架。

一幅"人骨拼图"一寸寸在我眼前显现,可关于他的一切,我还一无所知。

白骨尸是尸体中秘密最多的,也是法医鉴定起来最难的。

因为躯体基本腐败殆尽,留给法医的有价值的信息最少。

拼得越完整,我越困惑。头骨无伤,盆骨和四肢无骨折,基本排除交通意外后被抛尸于此。

我捡起面前那些因为腐败而脱落的指甲,又看了看尸体的足底。指甲很短且干净,足底还没有彻底腐败,也没有长期赤足形成的老茧,死者生前应该不是流浪汉。

那是自杀者或者吸毒人员?

我在脑子里拼命回想着昨天的现场,是不是遗漏了什么?

当时天色渐渐昏暗,我最后回头看了一眼尸体被抬走后留在原地的凹陷,里面有灰褐色的蛹壳层层叠叠堆积着。

哪儿不对劲?

正当我回忆着昨天哪里出了问题,解剖室地上白骨尸的颈椎骨骼上,一块污迹闯进了我的视线。昨天的现场和解剖台上的白骨尸在我眼前渐渐重叠。

等等!没有针头,没有绳索,没有刀具。现场既没有吸毒用具,也没有自杀工具!

人是怎么死的呢?

我拿起那块骨头猛地站起来,或许是蹲得太久,我一瞬间眼前发黑,缓了一会儿才走到水池边,小心地用水清洗那块污迹。

水流不断冲刷,污迹越来越浅,3道平行的切痕露了出来!我的心跳一瞬间快了起来,但却不敢确定。

解剖室里光线昏暗,我快步走到室外,将那块骨头冲着太阳。阳光下,骨骼上的几道切痕清晰可辨。

有人曾经用刀狠狠割过死者的脖子,这是一起凶杀案!

我最怕的就是这种一开始根本没有被认定成凶杀案的现

场。因为我甚至不知道，什么时候，在哪个位置，自己可能无意间已经破坏了现场。

我开始气恼，被害人是谁？又是谁下了这么狠的手？

案件性质因为这 3 道不起眼的切痕发生了天翻地覆的变化，我们已经耽误了不少时间。

解剖室里，每个人的脸色都很难看。一起杀人命案和一起普通猝死案，现场勘查的方向与方法有天壤之别，我必须重新回到现场，弄清楚白骨是谁，还要找到凶手。

第二次抵达现场的时候，我的心情没法像昨天那样轻松。

树林外围已经被警戒线圈了起来，河堤边停了六七辆警车。上次包括我在内只有 3 个技术人员，这次我们出动了 2 个组，6 个人。

我远远地和专门负责命案侦查的外侦兄弟们打了招呼，朝尸体原来的位置走去。

通往林子深处的那段路依旧难走，太阳的炙烤再加上神经高度紧绷，我再一次浑身湿透。

位置这么偏，基本可以确定不是抛尸，因为从公路到河边的距离比到树林更近。抬着一具尸体走这么远的路，体力上难以支撑，况且把尸体搬进树林，不如直接丢进河里，更不易被察觉。

现场正中，那个浅浅的泥坑是尸体搬走后留下的。坑里早已被腐败液体浸透，加上旁边的小垃圾堆，燥热的空气中，一种怪异的混合腐臭味萦绕在我们四周。

我翻开一层层垃圾，给那一堆不知道有没有用的"破烂"挨个编号、拍照，从 1 号到 30 号，连周边的树都没有放过。

物证编号牌用光了，干脆拿便签写上数字临时充当编号牌。

胜哥戴着口罩朝我走过来。他张口就直接逼问我要点："死了多久了？"

我用长柄钳子再三确认尸体原本的位置没有其他东西，然后脱掉一层手套，只剩最里面那层，捏起泥坑里一个苍蝇蛹壳，用指尖轻轻捻动。

灰褐色的蛹壳已经完全脆化，不需用力就变成了粉末。再综合考虑时间和天气，可以大致估算出，尸体在这片小树林里放置的时间超过 2 个月。

上学时，我总觉得老师讲死亡时间推断很神奇，等我成为法医之后才发现，这就是个"世纪谜题"，没人能给出准确答案。

我扔下手里的蛹壳，给了胜哥一个保守的回答："死亡时间超过两个月，但不超过一年。"

胜哥立马不干了，喊着："这怎么查？时间跨度也太大了吧！"

他蹲下来凑到我边上，轻轻用肩膀撞了撞我。这是摸准了我肯定有比书本上更大胆的"私人建议"。

对于广东的天气，我挺无奈，就像老天爷额外给我工作增加的难度。冬天即便只出两天太阳，气温也能飙到二十六七摄氏度，在这里冬天穿 T 恤出门并不奇怪。

"先查今年 4 月份之后的吧，年初还是挺冷的，应该穿不了 T 恤。"

时间范围缩小了一半，胜哥满意地走了，留下我对着几箱标了号、散发着恶臭的物证发愁。

第二次从现场回来，我开始细细清洗那件尸骨上的T恤。

T恤已经有些腐败脆化，我不敢使劲搓，更不能用力拧，只能开着水龙头用流水冲。

从大学毕业后就没怎么手洗过衣服的我，小心翼翼揉洗了两遍这件"尸骨衣"，T恤依然漆黑一团。我将它捞起来，翻出内里，那里还沾着一些蛹壳，以及更多难以分辨的腐败组织。

从现场淘回来的几箱垃圾里，这是我最"宝贝"的一样。虽然衣服已被腐败的尸体浸润，又因为风吹雨淋变成了黑乎乎的一团，但正面隐约可见的两个大写字母让我忍不住兴奋。有明显标识，衣服的辨识度很高，说不定家属能认出来！

我拿出一张塑料布，把T恤平整地铺在上面，将蛹壳一个个摘下来，又用刀片轻轻将上面附着的不明组织刮下来，然后把洗衣粉一点一点涂抹到那些有明显污迹的地方，一个地方一个地方处理。

终于，浸泡T恤的水不再浑浊。我摘掉手套，把一个半小时的劳动成果拍照传给了胜哥，摊平的灰色T恤正中，两个大写的字母清晰可见——"FE"。

无名白骨尸的第一封协查通报终于发出去了，我们都在等那个能认出这件T恤的人。

胜哥排查了辖区里近一年的失踪警情，但是来认尸的三四家都对不上。尸源的查找范围从本地辖区扩大到了邻市。

白骨化尸体的优势是，耻骨联合煮起来特别省事，这道工序能帮我准确判断死者的年龄。但弊端也很明显——面对一堆骨架，就是亲妈来了也难以认出死者。

一周后，依然没有人来认领尸骨。

我预料到这个案子会成为一块难啃的骨头，毕竟死亡时间越长，遗留在现场的物证和线索越少。

除了目前这些手段，只剩下"颅相复原"。这是一种通过颅骨形态，结合剩下肢体的脂肪厚度，绘制死者原貌的技术。但因为很难准确还原五官和发型，偏差较大，我实在不想用这一招。

那件已经被我清洗到极限的T恤还在那里，衣服上凌乱的破口和褶皱总让我越看越恼火。

眼下，T恤是最有可能确认白骨尸身份的物品，我突然冒出个想法，打算进行一次"前无古人"的尝试。

第二天，当我把一个男性塑料模特扛进公安局大门的时候，所有同事投来诧异的目光。

门卫笑着过来拦住我，问道："是不是嫂子准备开服装店？"我摇了摇头。

警队里一帮小伙子没人摆弄过这种东西，大家热情高涨，手里没活的都跑到天台上来帮忙，七手八脚把"人"组装了起来。

我把死者的T恤小心地套了上去。大家围着塑料模特转着圈看，都觉得新鲜。照片拍出来的效果出奇的好。

有了照片，接下来就是修片。T恤上的破口、污迹浸染严重的色块都需要修复。

我之前玩过摄影，这次一边在网上搜修图教程，一边自己慢慢鼓捣，当天晚上花了2个小时，终于将新拍的T恤照片修好，传给了胜哥。

胜哥立刻发出了第二封协查通报。

拍完照之后，我就把塑料模特收进了5楼的临时物证存放室。在我看来，整栋大楼就那个房间合适，空间大，平时很少有人去。

我把它立在房间的角落，想着不碍事就行。没想到，塑料模特"住进去"的头两天，就有不止一个同事晚上去物证室时被这个站在角落里的"人"吓得嗷嗷乱叫。

这帮人平时一副天不怕地不怕的样子，对各种重口味现场、半夜坟场之类的故事津津乐道，结果一个塑料模特就让他们"原形毕露"了。

我跟胜哥讲了这个事，胜哥嘴上说着晚上要去物证室见识一下，可之后再也没提过这茬。

转眼进入11月，一天上午，胜哥接到一个陌生女人打来的电话："我认得那件衣服！"

塑料模特终于在发案一个月后显出神威。

胜哥在派出所接待了打电话的女人。她30岁左右，在长椅上哭得很伤心，一手捏着眼镜，一手拿着纸巾擦眼泪。

她说，通报上那件衣服是她亲手买给弟弟林宇的生日礼物，7月初的一天，林宇穿着这件T恤，骑着摩托车出门后，就再也没有回来。

一开始她并没有特别担心，因为弟弟好赌，一赌起来三四天不回家是常事。可一周过去了，弟弟还没有回家，打电话又一直打不通，她和家里人开始着急了，便四处打听。

直到胜哥把协查通报贴到她住的那条街上，她才知道自己的弟弟可能已经遇害。

女人还提供了一条线索，林宇的一个赌友说，林宇在失踪前一天刚借了 3000 元钱。

关于林宇被害的细节逐渐丰富起来。

胜哥觉得，自己真应该去物证室看看那个站在墙角的塑料模特，虽然有点吓人，却立了大功。

当天晚上，DNA 比对结果证实死者就是林宇。此时，距离他失踪已经超过 4 个月，我们终于可以给这具白骨写上名字。

胜哥立马调取了林宇失踪前的电话记录，最后一串号码吸引了他的注意。那通电话来自林宇的同学兼老乡，吴勇。

吴勇是一个小眼睛、厚嘴唇，看起来宽厚老实的年轻人。他到林家吃过饭，林家人也都认识这个同乡。按照林宇姐姐的说法，吴勇话不多，不管干什么都听林宇的，就像她弟弟的跟班。

林宇的父亲在儿子失踪后，两次找吴勇问过林宇的去向，但吴勇都说自己不知道。而通话记录显示，林宇失踪那天他们通过电话，而且他也是最后一个跟林宇通话的人，可他却从来没有和林宇的家人提过这一点。

但仅凭一个通话记录，还不能惊动对方。

我们立即寻找路面监控。可是监控保存期限只有 3 个月，何况河堤上的公路根本没有监控，最近的一个摄像头在几千米之外。

从法医的专业角度看，时间过去太久，现场环境复杂，就算遗留有什么物证，能够发现和提取的可能性也很小。如果凶手作案时穿的衣服和鞋子还在的话，可能有办法，前提是他能老实交代作案时穿的是哪件衣服。

4个月的时间足够他编出一整套符合自己逻辑的说辞，但这里面有没有漏洞，我们可以替他检验。

我点子多，又想到一个冒险的方法：测谎。这像一次和嫌疑人的对赌。

那天，胜哥以询问证人为借口将吴勇带到公安局。当时他正准备收拾行李回老家。

办公室里，胜哥例行询问了吴勇是否对林宇的死亡知情，吴勇神情放松地回答："不知道。"

当胜哥问到，林宇失踪那天，他是否给林宇打过电话的时候，吴勇的眼神开始有些飘忽。显然，他对侦查手段一无所知，也根本没有想到这个细节。

看见桌上那个酷似心电图机的机器时，吴勇开始有点紧张了，手指不自觉地做起小动作。

我让吴勇坐在测谎仪旁边的椅子上，然后告诉他这是在测谎。他本来重下去的眼神不自觉抬了起来。

测谎仪刚引进国内的时候，一线侦查员都以为这东西神得很，直到"杜培武杀人案"被认定为冤案之后，再也没人把测谎结果作为证据。这次，我们打算让测谎仪发挥点别的作用。

我们没有直接开始测谎，而是故意拖延。长时间的等待会让被询问的人愈发紧张，从而露出破绽。

我给吴勇的手上涂上酒精，粘好电极，明显感觉到他已经双手僵硬。我掏出准备好的扑克牌，出其不意地递过去一张黑桃A，他诧异地接过去。

"请问,我给你的是不是黑桃 A?你只需要回答是或者不是。"

"是。"吴勇不明所以。

我又递过去一张方片 3。

这种预设问题的目的是测试对方的配合度,并且让对方相信,我们可以通过这台机器来判断他是否在说谎。

"请问,我给你的是不是方片 A?请说你拿到的是方片 A。"

"我拿到的是方片 A。"

仪器上的曲线出现轻微的变化,那是吴勇撒谎后触发的生物本能一时还没法控制。

让他"信"只是第一步,到底能不能成,接下来才是重头戏。

胜哥和我跳过了第一关键问题"你有没有杀人",而是直接抛出后续两个关联问题——"你是不是在杀人后把刀丢在了现场附近?""你是不是把杀人时穿的衣服带回了家里?"

吴勇像是一瞬被箭击中了铠甲的缝隙,对于这两个问题,他几乎没有任何准备,抬起头一脸茫然,说道:"我不知道你们问的是啥意思,我不想回答这个问题。"

"不管你回不回答,我们都能知道结果,沉默就代表是。"

测谎的第二步就是让他"慌"。

吴勇开始了一连串的否认,仪器上的曲线剧烈地上下波动。

"测谎仪已经明确检测出你在撒谎,抵赖没有任何意义。"

吴勇的心理防线彻底崩溃了。很快,在我们准备好的摄像机面前,他承认自己杀了林宇:"人是我杀的,还有吴兵帮我。"

根据吴勇提供的线索，胜哥当天抓住了吴兵。

两人都招供了，过程异常顺利。

让我没想到的是，此刻我和案子却被推到了悬崖边，摇摇欲坠。因为没有物证。

案子最关键的物证是割颈的凶器，还有案发时吴氏兄弟穿的衣服。如果我能在这些东西上找到林宇的血迹，就可以串起完整的证据链，杀人者就能得到应有的惩罚。

但现在这几样我一样都没有，真成了"死无对证"！

吴氏兄弟说，犯案当天穿的衣服都扔掉了。至于凶器，是吴勇从家里带的一把不锈钢菜刀，样式普通，也已经用了很久，杀完人就扔河里去了，完全不记得是什么牌子，什么样子，胜哥从网上随便点开一张菜刀的照片吴勇都说像。

树林边的河是我们辖区最大的一条河，水面宽阔，河里常有上千吨的货轮航行。吴勇也不确定自己到底是在什么位置扔出去的，只记得自己用了很大力气，至少丢出去 10 米。

就因为这一句话，我和同事拿着金属探测仪和超大的电磁铁，开始打捞。

3 天里，我收获了一个废旧的铁圈、两根钢筋、几块不明用途金属块和若干螺丝，却连一个长得像刀的玩意儿都没捞到。

队长叫停了我的打捞工作，这意味着这起案子到这儿可能就悬着了。

我知道，这档案要么在我桌上，要么被放进档案柜。而一旦被放进那个黑漆漆的柜子，之后的 10 年、20 年可能都不会再有人打开。

那些不再有人打开的悬案不是薄薄一沓纸,那是被害者压在我心上的一座座"坟"。

胜哥那边的进展也不顺利。

吴氏兄弟口供里提及的最后一个关键物证是林宇骑到现场的摩托车。按照吴勇的说法,他们俩把车卖给了街边一个修摩托车的小店。但胜哥找到车店老板时,老板却说摩托车收了没多久就被人偷了。

虽然我们怀疑这是老板的托词,更大的可能性是林宇的摩托车已经被车行拆成零件处理掉了,但尴尬的是,我们也没有证据来证明这一点。

最后一环证据也断掉了。

仅有口供,我们根本无法给吴氏兄弟定罪。如果吴氏兄弟翻供,我拿什么来敲定他们的罪行,拿什么把他们绳之以法?而证据在哪呢!

就在这时,我最担心的事情发生了——

吴氏兄弟的口供出问题了!

胜哥发现,吴勇和吴兵两人交代的细节并不完全一致,甚至同一个人每次的笔录都有些细节合不上。他从看守所审讯回来就找到我,表情凝重地说:"必须得找到证据,不然就'麻烦'了。"

我知道胜哥口中的"麻烦"是什么。

那是一起可以被称为我们队里所有刑警"梦魇"的案子——我们曾亲手放走一个"杀人犯"。

6年前,辖区里发生过一起古怪的案件:医院里,一个病人忽然发生抽搐，然后迅速死亡。

病人本身并没有癫痫病史，出现这种症状很反常。因为毒鼠强的中毒症状和癫痫发作时极其类似，有医生怀疑病人可能中了毒。

毒化检验的结果让所有人心惊肉跳：死者的血液里确实有毒鼠强成分。

我们第一时间封锁了医院。但在随后的病历排查中，我们发现了更令人毛骨悚然的事：这家医院前后有 26 个病人出现过类似癫痫的抽搐症状。

对比以往资料，一家医护人员加病人不足 500 人的医院短期内出现 26 个癫痫病人的可能性几乎为零。

也就是说，这家医院里有个游荡着一直在投毒的人！前面 26 人中可能也有受害者！

我们给这些人剪取指甲、抽血进行化验，甚至在征得对方家人同意之后，把一位已故病人土葬了的尸体挖出来开棺验尸。

但最终，我只在一个死者的身体里检测出了毒鼠强成分。

锁定的嫌疑人是一个年过六十的女护工。她看起来沉默寡言，畏畏缩缩，普通到在街上走一圈就会消失在人群里。

我只记得，她的手格外得湿。

看护记录里的她就像一个行走的"恶魔"，她负责哪一个病区、哪一个楼层，对应的地点就会出现"癫痫发作的病人"。

我们甚至在她放个人物品的地方发现了毒鼠强，但她辩解称自己是留着杀老鼠，而且护工存放物品的房间基本是开放空间，谁都能接触，谁都有嫌疑。

最终我们在女护工的检材里没有检测出毒鼠强成分。女护工被无罪释放。

放她走的那天，我心情格外沉重。就是这种看起来普普通通的"凶手"最可怕，因为没人能担保她不会继续作案，而且放走了可能再也捞不回来——那种感觉就像是在人群里埋下了一颗炸弹，不知道它会不会炸，更不知道它什么时候炸。

而在医院医生和护士眼里，就是我们放走了凶手。

此时此刻，嫌疑人吴勇、吴兵就在看守所的铁栏杆里面，都有口供，但如果我们拿不出证据，那扇通往外面的大门随时都会开启。

从那以后，我经常会在结束一天的常规工作，或者当天安排的尸检比较少的时候，带着助手和同事到林宇出事的河堤"吹风"，期待着能碰上和案件相关的东西。

1次、2次、10次"吹风"过去，广东天气渐渐转凉。

有次"吹风"，助手不知从哪里找到一只烂拖鞋，我瞄了一眼，没好气地问他："两个案犯一个死者，三个老爷们儿，谁的脚能穿进这只36码的女式拖鞋？"

又不知"吹风"了多少次，12月的一天，我突然在河堤公路上发现了一滴干涸的只比黄豆粒大一点的血迹。

我异常兴奋，小心翼翼把样本送进了实验室，却见鬼一样一连三遍都测不出DNA分型。

我不死心，又把剩余的样本送到省级鉴定机构。结果让人完全崩溃：那压根不是"人血"，是"鱼血"！

我成了一个分不清人血与鱼血的法医。

就在我被现场折磨得心力交瘁的时候，胜哥还在吴勇新口供的指引下，在一条小河沟里摸索了整整2天，希望能把他交代的丢进小河的钱包、手机找到。

可捞起来的除了乌黑的淤泥，就只有垃圾。

紧要关头，林宇的姐姐突然想起一个关键线索：眼镜盒。她记得很清楚，林宇骑走的是她的车，车上放了一副她的眼镜。弟弟和车一起失踪之后，她在同一家眼镜店又配了一副。

但从审讯最初到现在，吴氏兄弟根本没有提及"眼镜盒"。

这可能是一次疏忽，但也可能是案子的一个转机。

我又来到案发现场，这成了我做法医以来看过次数最多的现场。

日子都到 12 月底了，我见证着这个案发现场的改变，在广东，这 3 个月已经囊括了一年之中四分之三的景色变化。

小小的眼镜盒。这种搜寻工作最磨人的地方在于，没有具体地点，只能靠着两只眼睛、两条腿，一遍遍反复搜索。

更大的不安来自谁也不知道那个被凶手随手丢下的眼镜盒，到底还在不在那儿。

第一次，10 个人斗志高昂。结果找了一下午，到天黑只能回食堂吃饭。

第二次，只去了 3 个人。

第三次、第四次，我只能拉动助手同行了。

是的，我习惯了失望，却依旧放不下期待。我心底已经做好了打算，哪怕案卷送到了检察院，只要一天没有开庭，一天没有审判，我就一天不会停止。

案子破不完，坏人抓不尽，但是让攥在手里的罪犯溜走这种事，一次就够了。

一个很平常的午后，我又招呼同事一起出发，这是第二十三次"吹风"。

快到傍晚,正当我以为今天又会是一场徒劳时,突然听到了同事的欢呼,我看见他跳跃起来,双手上举,一只手还捏着一条不知道哪里捡来的长竹竿。

这是我第一次在篮球场之外,看到这个30多岁的人跳这么高。

我丢下手里的枯枝跑了过去。

草丛中,一个黑色的小盒子静静地躺在那里。

经林宇姐姐辨认,我们找到的眼镜盒就是她当初放在摩托车上的,眼镜盒和眼镜布上清清楚楚地印着眼镜行的名字和地址。

根据口供找到的物证成了证据链上最后也是最关键的一环。

案件的所有资料在年底前如期移交到了检察院,吴氏兄弟被顺利批捕。第二年冬天,吴勇被判处死刑,吴兵被判死缓。

把档案送到档案室的时候,我在案卷上签了自己的名字。我知道,这本档案之后再不用被开封,我是经手它的最后一个人。

可能真是我执念太深。即便找到了证据,惩罚了凶手,我还是不能完全放下这个案件。那幅"白骨拼图"总在我脑子里晃悠,我还有一个"谜"想不通。

最初,"五一"过后的某天,林宇找到吴勇说有人欠了他5000元高利贷,让吴勇和他一起追债,并且答应追到之后分些好处给他,"肯定不让你白忙活"。

林宇先到广东几年,对这边的环境更熟悉,吴勇从老家过来以后，就成了林宇这个老乡的小跟班。这次吴勇也没多想，就答应林宇一起要债。

忙活了2个月，两人不管是去欠债人家里还是工作的地方，都堵不到人，没收回一分钱。吴勇觉得要债这事没结果，就不想去了。

还有一个小细节，是审讯时吴勇说的，就是他看到林宇因为要不到账私自在欠条上多加了一个"0"，将"5000"改成了"50000"，这让他更觉得林宇不靠谱。

他拒绝了林宇再次一起要账的邀请，并且试着向"大哥"要点辛苦费。因为每次出门，不管是给车加油还是吃饭喝水，都是自己掏腰包。

没想到，"小弟"收到的是"大哥"的两个耳光。

吴勇没有吱声，也没有还手，但正是这两耳光让他暗下决心。

吴勇把事情告诉了自己的堂哥吴兵，两人约定在河边的小树林教训一下林宇。

那天，吴勇打电话告诉林宇，说看见欠债人在河边钓鱼，让他赶紧过来。

吴勇领着林宇走进小树林，躲在林子里的吴兵立马抄着刀从背后冲上去，但没等吴兵动手，"大哥"林宇一把推开了他，还给了吴勇两脚。

几乎是同时，吴勇扯过菜刀，一刀砍在林宇的脖子上。怕对方不死，又在脖子上割了几刀。这就是我最初发现的骨头上的3道切痕。

杀人后，两人拿走了林宇的钱包和手机，骑上他的摩托车逃离。直到大半年后被我们抓获。

我见过不少少年，都幻想有个江湖，满是侠胆道义。现在我才想明白，这个江湖中其实只有几百元钱的争执、背后的菜刀与白骨。

# 05

## 谁动了她的梨

**案发时间：** 2017 年 6 月

**案情摘要：** 某出租楼内一租客遇害。

**死　者：** 女租客

**尸体检验分析：**

面部缠绕透明胶带，手脚部被尼龙绳捆绑。

裙子被撩起至腰部，大腿内侧见血手印，疑似遭受性侵。

胸部见伤口，持续流血，血液呈暗红色。

2000 年左右，在珠三角当法医是件不太容易的事。尤其是对我这种运气不太好的法医来说。

那时，珠三角是全国知名的治安盲点区域，一年有近百起命案发生。我可能是事故体质，一值班，命案就井喷。我曾经在一个值班的夜里，连续勘查了 3 起毫无关联的命案。最黑暗的那段时间，匪徒的凶残无人能想象。

但是现在不一样了。我们和这帮人战斗了近 10 年，队里牺牲了 3 个兄弟，设下无数监控，严格管理出租屋登记，恶性案件的发生数量，已经不足当年的五分之一。

我和胜哥一直以为，日子会这样慢慢过下去。

然而在 2017 年仲夏，一起案件把我们一棍子打醒。我们从未遭受过这样的打击，凶手用一种拙劣的障眼法，扰乱了所有线索。我们出动了上百人，整个区域的警力被耍得团团转。

案发后的第三天，我和胜哥站在案发的那栋公寓楼里，有些失魂落魄。外边搜查得天翻地覆，可最关键的证物，和我们的直线距离不超过 10 米，但我们当时并未意识到。

那天清晨，我被一个电话唤起。

前天才去过的抢劫案案发地点，发生了一起凶杀案。同一栋楼，同样的作案手法，受害者同样为女性。凶手用一个可乐瓶凌辱了女孩。我猜测，这是一起连环案，敢这样干的混球，应该在10年前就被抓光了才对。

我刚拎起工具箱准备出发，就看到胜哥开着那辆破尼桑，直接冲出公安局大门。他没有等我。

我驱车钻过挂满招牌的小巷，停在命案发生地点。灯箱闪烁，巷道潮湿，犹如市井版《重庆森林》，胜哥那辆破尼桑就停在前面。

眼前是一栋三层的白色小楼，不锈钢防盗门，不锈钢防盗窗网，周围粘着牛皮癣一样的广告。

身边的一切都在告诉你，来到这里，务必小心。

2天前，这栋楼的女房东被一名男租客绑进房间，抢了手机和现金。没想到2天后，这里又发生一起案子，手法几乎一模一样：绑姑娘，抢钱。只是这一次，罪犯彻底陷入疯狂，还杀掉了女孩。

我到门口时，胜哥刚从里面钻出来。他看我来了，只是疲惫地揉了揉脑袋。我瞧见他牛仔裤上有一小片茶渍污迹，估计昨晚又没有回家。

我知道胜哥在急什么，接下这起案子，他比谁都闹心。

女房东被抢劫的案件，胜哥是主要侦办人员之一。没想到，他还没找到劫犯的线索，这栋大楼居然又出了一起命案。

前后两起案件只隔了2天，他把这视为一次难以接受的失误，他说："如果那帮兄弟还在，如果队里足够重视，第一时间花大力气抓逃犯，凶手没有机会再跑出来杀人。"

如果能迅速抓到抢劫案犯，或许这个女孩就不会死了。

但其实,那起抢劫案虽然性质恶劣,涉案金额却不大,加上随着治安的好转,重案队的人大大缩减,队里担心没有人手去处理新案子,就没有动用大量警力去追查。胜哥说是办案人员"之一",其实真正投入的警力就他自己,毕竟队里只有7个人。

人手和时间都不够,没有人责怪胜哥,但看胜哥烟抽得有多凶就知道,他现在是自责、压力一肩扛。

我陪他走到一楼走廊的尽头,看他在墙壁上灭掉快烧到头的香烟,正准备扔掉的时候,我拍了拍他,提醒道:"别在命案现场丢东西。"

他捏着烟头,久久撂下一句:"不管怎样,抓到那家伙就都清楚了。"

女房东正在接受询问,看到我来了,她无奈地冲我点了点头。

多数时候,法医的出现都不讨人喜欢。估计她也没有想到,这么短的时间内居然会再次和我碰面。

可能是我的出现,让她回想起2天前发生在自己身上的事,她不安地揉着手腕,捆绑造成的瘀伤还没有完全消散。

绑架她的是刚租住一天的男房客,韦建军。

当天,韦建军以打扫房间的名义,将女房东骗到房间,随后掏出折叠刀威胁,用尼龙绳把她绑起来。搜走现金和手机后,他还用透明胶封住了女房东的嘴巴。

直到有房客下班回来听到动静,女房东才被解救。

女房东是在广东十几年的老一辈打工者,她早就习惯了如今安稳的生活。当时给她验伤,她还在咒骂韦建军:"没想到这个中年男人这么狠,不给房租还抢我的钱。"但今天见到被杀掉的女孩,她只剩下庆幸。

现在看来,女房东确实幸运。她逃了,她的女租客却没能逃脱。

站在半掩的门口,即使戴着一次性口罩,我还是能隐约闻到飘出来的腥味,那是大量血液散发出来的味道。

散乱的血足迹,侵占了这个小房间一半以上的地板,女孩的尸体就侧倒在床边。

这是一个 23 岁的女孩,她的手脚被尼龙绳紧紧勒住,显出暗红和瘀肿。一圈又一圈的透明胶带死死封住她的嘴,由于胶带勒得很紧,女孩稚嫩白皙脸上的五官都扭在了一起,看起来痛苦而绝望。

这胶带,绑得比 2 天前的手法狠多了。

女孩的裙子被撩起到腰部,大腿内侧留着几个斑驳的血手印,这表明她生前可能遭遇过性侵。

翻动女孩的尸体时,她胸部的伤口还在不断淌出暗红色的血液。当我检查完女孩尸体,从她身边站起来时,原本雪白的橡胶手套上已经猩红一片。

这样的景象,任谁看了心里都会不好受。我不知道,如果自己换到胜哥的位置,能不能承受得住。我叹了口气,换上新手套,继续勘查。

阳台上还晾着洗好的运动上衣和短裤,窗户上的防盗网完整,门锁没有被破坏,也没有技术开锁的痕迹,桌上女孩的手袋敞开着,似乎被洗劫一空。

图财吗?

时间如此接近的案子,相同的手法、相同的工具,甚至是相同的作案动机。

追查这个叫"韦建军"的租客，是当务之急。

看完现场已经临近中午，我顾不得休息，直接开车去了殡仪馆，案情紧急，必须要第一时间解剖尸体。

我没想到，家属更早抵达殡仪馆，他们是来签解剖尸体通知书的，同时想再看看遗体。

裹尸袋摆在冰冷的不锈钢解剖台上，我只拉开了上端，露出女孩被胶带缠绕着的脸。

年轻的面容在死亡面前变得扭曲。我不能让所有的尸体细节暴露在家属面前，我不忍心。

女孩的男朋友红着眼睛，双肩止不住颤抖。他和女孩本来决定今年就结婚，前几天才看好了婚纱。

女孩的姐姐和姐夫也在一旁抱怨老天不开眼，姐姐说自己前一天还和妹妹打球，为什么今天就走了。

报案人是女孩的姐夫，这个30多岁的中年男人，显得比自己的老婆还悲痛。他早上打电话给女孩，发现电话关机，去了女孩的出租房才发现，女孩已经倒在血泊中了。

当母亲试图用手触摸女儿冰凉的遗体时，我提醒她那可能破坏留下的痕迹物证，会让凶手更难被抓获。

送他们离开解剖室的时候，女孩父亲紧紧地握着我的手说道："你们一定要抓到那个杀千刀的凶手！"

我抿着嘴，望向他的眼，点了点头。

每次遇到类似的情况时，我都没法说出"节哀顺变"这个词，沉默大概是我唯一的回答。

韦建军跑路了。

胜哥查抢劫案时，曾调取过外围的监控视频。2天前，韦建军在抢劫女房东之后，坐上一辆假牌照的摩托车，离开了现场，那是他最后一次出现。

这种抢了就跑的小毛贼，在胜哥眼里，再普通不过。他们往往自觉走投无路，为了下一顿的饭钱，抢点钱就跑，甚至觉得被警察抓到也不亏。

这种现象，如果发生在我和胜哥刚工作那会儿，一点都不奇怪。2000年，走在街边的人都不敢把包背在身后，只能抱在胸前。要是谁三五年没被偷过、抢过，可以算得上是奇迹。

但现在，社会治安已经不可同日而语。不仅是警察，就连普通人也放松了警惕。

公寓楼门口本来有监控，但坏了，女房东舍不得钱，一直没有安装新的。于是最有可能留下线索的地方，现在无从查起。

但有个好消息是这次涉及命案，人力物力调配不会再捉襟见肘。案件会上，局长同意将两起案件并案侦查，并且指示各部门全力配合。

胜哥终于不是孤军奋战了，但这样多的警力，能否在短时间内破案，胜哥又背上了新压力。

在此之前，同事整理过一份受害人关系名单，上面记录了和女孩有关的人，翻开第一页，上面有她的家人、男友，以及隔壁的房客。

但那时我们都太自信了，没有人细看这份名单，每个人都坚信只要抓到韦建军，就能给女孩一个交代。

在几十千米外的建筑工地上，我们找到了韦建军。

胜哥举着枪冲进宿舍的时候，韦建军正赤裸着上身呼呼大睡，被摁住的时候，还是一副迷迷糊糊的样子。

韦建军显然没有料到自己这么快就会被抓到。他认为抢了钱就跑，不用身份证，也不联系家里人，警方根本拿自己没办法。

但这是命案，全区上百名警察都出动了。

看到韦建军还一副装傻充愣的样子，胜哥狠狠地扇了一下他的头。不理会他呼痛的声音，胜哥拉住反背在后面的手铐，把人扯到床边，然后在床头摸出了女房东的手机。

韦建军这家伙，看着死硬，但面对证据，比谁都老实。他知道，老实交代犯罪过程能少受很多苦。

韦建军说，他跟着老乡从老家来城里打工，想找一份轻松的工作，但转悠了几天都没有合心意的，手头越来越紧，此时恰巧看见房东挎包中有现金，就动了歪心思。

韦建军承认了抢劫女房东的过程，对杀害女孩的事却只字不提。

带韦建军回局里的路上，胜哥慢慢察觉到有些不对劲，韦建军的反应，根本不像一个刚杀人的逃犯。

胜哥试探着问道："抢完女房东之后，你有没有回过那栋楼？"

"我都抢完了，还回去干啥？"

胜哥安排同事夜间突审韦建军，自己则赶回工地，进一步核实韦建军在命案发生当晚的行踪轨迹。

与此同时，我接到DNA实验室打来的电话，先胜哥一步确认了韦建军口供的真实性。DNA检验鉴定结果显示，女孩身上提取的生物检材出现了一个未知男性的 DNA。它既不属于女孩的男友，也不属于韦建军。

韦建军确实绑架了女房东，但他不是杀害女孩的凶手。

胜哥传回的结果也证实了这一点。和韦建军住在一起的 3 个工友都表示，凶案发生那晚，韦建军和他们是同一时间上床睡觉，第二天早上又一起开工的。韦建军没有交通工具，无法在工友睡觉的几个小时里，往返好几十千米作案却不被工友察觉。

最初的推测被推翻，"头号嫌疑人"的嫌疑被彻底排除。一切回到了起点。

胜哥和我有种被戏耍的感觉，同时又为自己的惯性思维感到一阵恼怒，现在我们得找到那个真正的凶手。

我来不及失落，又打开了电脑里现场勘查的照片。

夜色笼罩，窗外是万家灯火。我知道，对于胜哥来说，今晚又是一个不眠夜。队里为了这起案子，投入海量警力，结果竟然抓错了人。

我翻动电脑上的照片，那张女孩下身血手印的特写，再次闯入我的视线。从尸体上得到的信息来看，这是一场有预谋的犯罪，如果不是为了钱，那应该就是为了性。

我们必须顺着新的方向调查，遗留在女孩身上的男性 DNA，可能来自凶手。

胜哥冲进我的办公室，浑身烟味。和他一起来的，还有那份早被遗忘的受害人关系名单。

"这孙子不是奔着钱去的，是奔着女孩去的！还有什么线索吗？"他捧着杯子，布满血丝的眼睛瞄向我电脑上的照片。

"勘查现场时，我注意到女孩房间的门窗没有损坏，说明凶手是正常进入的。而能敲门进入或者有钥匙的人，应该是女孩认识的熟人。再加上女孩的死亡时间是凌晨前后，能在夜晚顺利进入女孩房间，这个人她应该非常信赖。"

转变思路以后，我们找出一个原先就在名单里的名字——女孩异常悲伤的姐夫，刘森。

胜哥对刘森展开了调查。他发现，女孩每天都能接到这位姐夫几次甚至几十次的电话，两人过高的通话频率显得关系太过于亲密。

按照刘森接受例行询问时的说法，案发前一晚，他和老婆、女孩一起打羽毛球，晚上10点多把女孩送回了公寓楼。第二天早上，他打电话给女孩，却无人接听，等他过去才发现人已经死了。

我们还找到一个重要的线索，女孩的房间是刘森帮忙租下的。

亲自租的房子，最后一个离开现场又第一个回到现场，众多的巧合让我不禁打了个寒战。

第一时间排除男性亲属的嫌疑时，我们先调查了女孩的男朋友，但还没来得及进一步接触这个姐夫，难道真的是灯下黑？

就在我和胜哥猜测两人关系时，DNA比对结果来了：女孩身上遗留的DNA是刘森的！

拿着检验结果，胜哥敲开了刘森家的门。

开门的是女孩的姐姐。

不知道是不是错觉，胜哥总觉得，相比在殡仪馆初次见面时的悲痛欲绝，这次女孩姐姐的态度很冷淡，似乎已经从妹妹死亡这件事中走了出来。

还没等胜哥追问，女孩的姐姐就开始抱怨，说丈夫在女孩死后这两天格外颓废："啥也不管，啥也不干！"

察觉到她只是单纯地找人倒苦水，没有更多隐瞒和目的之后，胜哥找了个借口支开了她。

在卧室里，胜哥找到了刘森。他正仰面朝天，百无聊赖地瘫在床上抽烟，床边的烟头堆起了一小撮。

关上房门，胜哥警惕地打量着这个男人，一边交谈，一边仔细观察他的神色。胜哥注意到，刘森一直表现出懊悔，反复强调自己没想到日租房会这么不安全。当试探着提起他和女孩频繁的通话记录时，刘森有点急了。

在胜哥反复几轮施压之下，他承认，自己和小姨子有着不正当的男女关系，"我们是相爱的，但是我没有办法离婚"。

"那天晚上，我们搞完之后我就走了。"刘森直接承认精斑就是他留下的，但否认杀害了女孩。

当他意识到胜哥怀疑他是杀人凶手后，并没有表现出凶手被发现时那种惊慌失措，只是一个劲儿跟胜哥强调，自己对女孩有多好。

根据刘森的说法，胜哥联系了排查监控视频的兄弟。在离现场不远的路口，当晚确实有刘森开车通过的图像，并且根据时间推测，他待在现场的时间不到半个小时。

拿到结果后，胜哥没有说话。刘森的作案时间不足，线索又断了。

没有新的证据和线索，我们除了一遍遍叮嘱刘森保持通讯畅通外，什么也不能做。

那天深夜，我和刚回来的胜哥在刑侦楼里碰上了，不过是几天的奔波，他的眼圈已经有些浮肿。看到我，胜哥突然感慨道："我好像越来越不能熬夜了。"而我摸摸自己的发际线，也无奈地扯起了嘴角。转眼间，我们都不那么年轻了，熬夜查案这种事，越来越不适合我们这帮老家伙了。

这些年过去，当初一起熬夜的兄弟们慢慢地都散了，有的去了治安大队，有的去了派出所，警队"老头"只剩我和胜哥两个。可没有这帮老搭档，眼下的这起案子，有点无力啊。

前段时间的调查，已经排除了受害者男朋友，现在她姐夫的线索也断了。嫌疑对象一个个被排除，警队士气低落。名单第一页，还剩一个叫何沐的人，他是受害者隔壁的房客。

我们也不是没怀疑过此人，但经过调查，他最近一直在附近上网，警察打电话也接，压根没有要跑的意思，哪有那么傻的嫌疑人。

我和胜哥只能把希望放在名单上，我们俩坚信，真凶的名字必定在这里面。

法医不需要像侦查人员一样到处奔波，"现场"才是我的战场。

案发后第三天，我决定再回一次现场。就算体能差了，我的大脑和眼睛还是能派上用场。

我把缠绕在门上的警戒线解开，再次打开房门。尸体已经被搬走，现场只剩下血迹，各种物品因为检查被翻倒，小屋一片狼藉。

再次检查屋内物品时，一个放在抽屉里的笔记本吸引了我的注意。上面除了简单的备忘事项，更多的是一笔一笔的日常消费支出，原来受害女孩有记账的习惯。

账本并没有什么稀奇，但其中一个信息，瞬间击中了我。笔记本上的最后一条记录，日期定格在案发那天：一袋梨，16.80元。

我对现场极其熟悉，对这袋梨却毫无印象。我在垃圾桶里翻找了半天，里面空空荡荡，没有任何果皮、果核和食物残渣。

那袋梨去哪儿了？

抛出这个疑问的时候，我能感觉到全身的血都在往头顶上冲，身体因为兴奋而微微颤抖，那是肾上腺素在急速分泌。

更令我兴奋的还在后面。女孩原来躺着的位置，只剩下一层厚厚的暗红色血凝块，没有了尸体，周围的血迹形态反倒更加清晰。

我打着手电筒，蹲下来，仔细辨别着地面的灰尘痕迹，本来被尸体挡住的床尾地面，似乎有点异样。

我低下头，尽量让身体贴近地板，望向床底，手电筒的光探进了床底的黑暗，斜照到地板上，一大片人形的灰尘擦蹭痕迹赫然出现。

我招呼着民警合力搬开铁架床，床下的景象慢慢地完整呈现在我们眼前——是一个成年人的形体痕迹，有人曾经在床底躲藏过很长时间！

在女孩回来之前，凶手就藏在床下，等待时机合适再爬出来杀人。之所以等了那么久，是因为当晚出现了特殊情况，女孩不是一个人回来的，刘淼也跟着。

这间小小的屋子里曾经同时有过3个人，两个人在床上，一个人在床下。

我将现场发现的新线索告诉了胜哥。

有了大胆的猜测之后,接下来就是加倍小心的求证。凶手是怎么进到女孩房间的?

我想起女房东的那串钥匙。打电话给她的时候,她刚刚睡下,被我的电话吵醒后,一副不耐烦的口气。

"房间都是原装钥匙,没有配过!"在我的追问下,她回答得无比肯定,但是我更相信自己看到的东西。

我翻出当时拍摄的女房东钥匙的照片,那是一大串钥匙,每个钥匙上都贴着小标签,上面写着对应房间的号码。女孩的房间是203,对应的钥匙上,横形的摩擦划痕还很新。那是配钥匙才会留下的痕迹。

证据从来不会说谎,肯定有人配过钥匙,如果不是女房东,那么有条件偷配钥匙的人,只剩下居住在这栋楼里的住客。

现在距离发案的时间并不久,凶手遗留的证据和线索,比如作案时穿过的衣服、用过的凶器等,说不定还在某个房间里。

我突然察觉,这么多天过去,凶手可能就在我身边。

我和胜哥当即决定,对整栋楼进行地毯式搜查。

听说要搜查整栋楼,女房东显得很不耐烦:"我真是倒霉死了,出了这档子事还让不让做生意了!"

如果告诉她凶手可能还藏在楼里,她怕是更没有生意了。

我从一个民警那里要来了警棍,揣在裤兜里,用右手紧紧握着它。在勘查现场和案犯撞个正着这样的事,在我身上发生过不止一次。你永远不知道，哪扇门的背后是凶手。

以前，我曾经接过一起"双尸命案"，凶手杀人后没有离开现场，我勘查现场时，他一直站在围观的人群里瞄着我，直到被我们抓获。

胜哥还在外面调查线索，我必须得小心点。

来到被害女孩的房间附近，我们决定从两边的房间开始查起。我被右侧那间房子所吸引，按照女房东的说法，这几天，里面住着一个30多岁的单身男性——女孩的邻居何沐，他也在我们的名单上。

房间里东西不多，凌乱的衣服随意丢在床上，垃圾桶里是吃剩下的外卖盒子，几只苍蝇围着这些开始腐败的食物盘旋，阳台上没有洗过的衣服。

这间屋子的主人应该有两三天没有回来过了。

这时，桌上的一个塑料袋让我心头一动，我快步走过去，是一袋普通的梨，紧紧扎住的袋口旁被撕开一个口子，袋子上还残留着超市的售价标签，16.80元。

何沐，男，33岁，梧城人，有盗窃前科。

我们的关系人清查名单里，他的名字就在第一页，只是前期侦查重点都放在其他人身上，加上案发后的那两天，他并没有逃离的迹象，所以暂时被忽略了。

勘查过何沐的房间，我可以断定，他在案发后的这几天，虽然没有离开本地，却再也没有回来过这栋公寓楼，甚至连行李都没有收拾就不见了踪影。

更可疑的是，他的房间里有一袋和女孩记账本上价格一样的梨！

胜哥马上派人去摸排何沐的动向。调查显示，他这天早上才坐长途车离开了本地，距离现在不足 3 个小时！

我把装梨的袋子送回去提取指纹和 DNA。只要在这个塑料袋上发现女孩或者女孩姐夫刘森的指纹，就可以证明这袋梨来自案发现场，何沐就是凶手。

胜哥没有再回现场，他和同事在路上接到消息，不愿意再等指纹的结果，车子直接掉头往梧城去。

"要是让他跑回老家，往山上一钻，我们更麻烦。"这种事情，在他的刑警生涯里并不罕见，上一个逃亡千里的家伙，胜哥花了 26 天才将其追捕归案。

长途客车行驶并不快，中途还要上客，胜哥觉得自己能在客车驶入梧城前截下何沐。

胜哥出发一个半小时后，指纹检验的比对结果出来了，塑料袋上确实有女孩的指纹。胜哥当机立断，为抓捕争取了宝贵的时间。我把检验结果第一时间告诉了胜哥，接到确定的消息后，胜哥在电话那头轻快地说道："我就知道是他。"

挂电话前，我只叮嘱了一句："小心点，注意安全。"

胜哥挂掉手机，将旧尼桑车的油门踩到了底，那辆平时开起来随时可能抛锚的破车，被他在高速公路上开出了惊人的车速。胜哥回来后告诉我："我感觉自己好像还是很年轻。"

当天下午，林州高速路休息站，胜哥追上了载有何沐的大客车。这是客车抵达梧城前，最后一次中途停靠，差点就让他跑了。

下车之前，胜哥掏出腰上的 92 式手枪，再次退出弹夹检查了一下子弹，上膛，打开了保险。

他和同事对了一个眼神，一起摸到大客车的车边。司机正放低了靠背打盹，后排的何沐埋着头，手上捧着一碗泡面。

胜哥打了手势，和同事猛地一下冲上去，用枪指着他，吼道："警察，别动！"

看到举着枪的胜哥，何沐哇的一声大叫，手一抖，一碗泡面扣在自己身上，整个人瘫在座位里。

精神高度紧绷的逃亡和突然出现的胜哥，彻底击垮了何沐抵抗的意志，回程路上，他交代了所有的作案过程。

提取完何沐身上可能遗留的物证，我坐在审讯室的椅子上，花了七八分钟才看完胜哥刚刚完成的，那份远比普通笔录更长的讯问笔录。

最后一页上，歪歪斜斜地写着："上述笔录我看过，和我所说的一致。"后面是何沐的签名和按压的指纹。

看到这行笔迹和那个按得很实的指纹印，我终于松了一口气。

"你杀她，就因为她不理你？"我抬起头，有些疑惑地看着铁椅上拷着的男人。

"她又不是什么好人，整天带不同的男人回去，居然还不理我。那两个男人可以，凭啥我不可以？"坐在我对面的何沐脱口而出，一副理所当然的表情。

他并不觉得自己有什么错，只是遗憾为了这个女人最终赔上了自己有点不划算。

女孩搬进来时，何沐已经在这里住了5天。他只住得起这种不要押金的短租房，正忙着四处找工作、找门路弄点钱。

在楼道上错身而过的时候，他就惦记上这个新邻居。年轻、漂亮、打扮入时，用着高档手机，按他的说法，"一看就有钱"。

他制造机会和女孩偶遇。每天碰到的时候,他都会直勾勾地打量女孩,故作潇洒地和她打招呼,视线追着女孩的背影,直到她关上房门。

有几次,他甚至在听到女孩开门的声音时,故意开门出来,为的就是和女孩多打一次招呼,多看她几眼。

但随后的七八天里,他目睹了女孩和一个年轻男孩讨论着选哪件婚纱,也注意到了有一个中年男人对她车接车送。他认定,脚踏两条船的女孩绝不是什么正经人,那两个男人能够勾搭上她,自己或许也有机会。

但何沐的搭讪一直被忽略,他不仅没和女孩熟络起来,女孩见到他还会躲着走。

期望破灭后,怨恨和愤怒正在悄然累积。

案发前两天下午,经过一楼时,何沐发现女房东不在前台,一大串钥匙就搁在桌上,他几乎是一下就想到了女孩。

"有了她房间的钥匙,不管要做点什么都方便,别人可以,我也可以。"那一瞬间,他觉得命运在向他招手。

他拿走了203的钥匙,配好后又放了回去,神不知鬼不觉,过程顺利得他自己都有些吃惊。

他不知道,那时候的女房东正被韦建军绑在房间里,徒劳地挣扎。

钥匙拿到了,女孩的生活规律也早已一清二楚,但是何沐还没想好要做什么。

这时,他听说楼里发生了抢劫案。原来这么简单,一把刀、一条绳子,就能搞到钱,警察问过房东之后,就没再来过,也没有听说谁被抓住。

下定决心的何沐在杂货店买了手套、尼龙绳和透明胶,又在夜市买了一把折叠刀和一瓶可乐。

案发当晚 9 点,他带着买来的工具进入了女孩的房间。在椅子上不安地等待了半小时之后,他相中了唯一能藏人的床底,想给女孩一个"惊喜"。

晚上 10 点多,房门处传来钥匙转动开锁的声音,女孩回来了。

躲在床底的何沐,盯住门口。门开了,但是进来的不是一个人,女孩的身后还跟了一个男人。

何沐不知道进来的是谁,也不知道自己还要藏多久。

时间一分一秒慢慢流逝。等男人离开,何沐已经在床底趴了一个多小时,他觉得四肢僵硬,忍不住翻了一下身,女孩察觉到了动静。

"别吵,我只是求财。"何沐掏出了随身携带的折叠刀。

女孩吓坏了,她认出床底的人是邻居。何沐把女孩手袋里的钱全部翻了出来,加上零钱也只有 200 多元,比他预计的还少。但这个时候,他想要的已经不仅仅是钱了。

"我准备走,但我怕你叫。"他谎称自己想走,用绳子绑住了女孩的双手和双脚,又用透明胶封住了女孩的嘴巴。

他试图侵犯女孩,可能是心里发慌的缘故,他发现自己根本没办法,不甘心的他想起了那个可乐瓶。

在女孩痛苦的呼叫声中,何沐掐住了她的脖子,看着女孩扭曲的面容,此刻的何沐只有一个念头:必须杀了她。

他把折叠刀刺入女孩的胸口,鲜血涌了出来。

何沐想走时,又感到口干舌燥,他发现桌上有一袋没有动过的梨，便扯开袋子拿起一个，啃了几口。随后，他把剩下的梨和作案工具都拎回了自己的房间。

当我问他是什么时候准备对女孩下手的时候，他停顿了一下，似乎是在回忆，又像是在酝酿词语。

"第三次吧，那几天我 3 次跟她打招呼，她都没理我，事不过三。"

而女房东被抢劫那天，放在桌上的钥匙让他看到了自己得手的机会。

这个凶手和这些年抓过的其他凶手没什么两样，既不疯狂，看上去也没有格外凶恶。但是，他让我想到早些年见到的那些家伙，缺少常识，没有一技之长，这个社会还没教会他们生存的正确方式。

于是他们选择了最粗暴的几种方式——偷、抢、骗，甚至杀人。他们只是无知地认为，既然别人可以，那么我也可以。至于被警察抓到，这根本不在他们的考虑范围之内。

这些年，这样的人被陆续送进监狱，犯下严重罪行的还在继续服刑，罪行没那么严重的，出来之后也发现，以前的粗暴手段越来越不适合现在的城市。

到处都是监控，普通人身上再也没有多少现金可以抢劫，很多人因此按下了心中的恶念。

但何沐显然是不知悔改的那一类人，有盗窃前科的他，只要一发现犯案机会，恶意就会释放，"他们可以，我也可以"。

当我问何沐为什么一定要杀死女孩的时候，他抬起之前一直耷拉着的脑袋，瞄了我一眼，随意地说："她认出我了，不杀她没法跑，抓到了至少也得蹲 10 年。"

在他们看来，蹲 10 年大牢和亡命天涯之间是不需要权衡的。

抢劫杀人的罪行，从他嘴里说出来却格外平淡，没有歇斯底里的咒骂，甚至没有一丝情绪上的起伏。

我想替女孩谴责他、咒骂他，但我知道，这样做没有任何意义，何沐不会悔改。

我走过去，再次检查了一下何沐的镣铐，将已经铐牢的手铐和脚镣又压紧了两格。我想，这样或许能让他体会到一点被捆绑和束缚的痛苦。

只要有我们在，他们不可以，何沐也不可以。

# 06

## 后备厢里的第三个人

**案发时间：** 2011年4月

**案情摘要：** 某家具厂财务人员郑琴下班后离奇失踪。

沿路监控显示，郑琴下班后搭乘公交离开，但下车位置与平日不同。

停放在巷子里的一辆轿车是她最后的落脚之处，此后失踪。

车主是谁，郑琴去了哪里？

男人手握方向盘，目视前方，嘴里不停地说着话。都是些无关紧要的话，却一句接着一句。

直到坐在副驾驶座上的女人觉得甚至有点吵，男人才收敛了一些。

车继续开，他们正要去吃饭，是场喜宴，之前就约好了要一起去，男人准时来接的她。除了"话有点多"这一丁点儿小插曲，一切如常。

但只要女人再细心一点，就会察觉弥漫在车里的古怪气味。

是不是有血腥味？副驾驶座的靠背套上好像还洒落了几滴"红色的液体"。男人的手心在出汗，几乎握不稳方向盘，但他极力掩饰着自己的慌乱。

女人不知道的是，此时，和她同车的还有一个女人。就在她身后不远的后备厢里。

准确地说是一具女性尸体，血还在不断往外淌，碰到后备厢里的杂物就拐向别的地方。

今天早些时候，那个女人还好好地坐在她现在坐的副驾驶座上，而十几分钟前，她身边的这个男人杀掉了她。

男人叫欧建华，33岁，本地人，是一家钢铁贸易公司的业务员。有老婆，有一儿一女，还有一个情人。

一天，一个年轻女孩敲开了我们所刑警中队长涛哥的办公室。她说自己姐姐郑琴失踪了。

郑琴是镇里一个家具厂的财务，平时准点上下班，极少在外留宿。但前一天，郑琴下班后并没有回家。第二天上午，厂里有单据急着处理，拨她手机打不通，厂里着急找人，这才打到家里的固定电话询问郑琴的行踪。

妹妹试着拨打姐姐的电话，但电话一直关机，想到姐姐平时有事都会提前告诉自己，她有些慌了神。但连续问了几个亲友，都没人知道姐姐的行踪。

涛哥第一时间调取了郑琴工作的家具厂门口监控和公交监控。

2011年，街道上还没有像现在这样，到处布满了监控，更没有现在的智能大数据比对技术，刑警大队也才刚刚组建了图像侦查队伍，派出所这一级更是没人没技术。

涛哥也没有专门学过视频比对技术，那时候查看视频这活，大多数时候考验的不是技术，而是专注度和敏感度，技术不够就慢慢看，多花费些工夫，应付普通办案也都没问题。

下午，同事调取回来两段监控视频，一段是公交车里的监控，画面里郑琴穿着黑色T恤和牛仔短裤，在厂门口的站点上了车，上车后玩了一会儿手机，一直坐在位置上没动过，在公交车到站后不慌不忙地下了车。

另一段监控是公交站旁杂货店的监控，画面里郑琴步态正常，目不斜视地穿过了监控范围。

涛哥打电话给郑慧确认，郑琴在下车的那个工业村里既无亲戚，也无闺密，平时购物也不会去那边。

如果不是提前知道对方下车位置与平时不一样，并且随后就失踪了，仅看这两个视频，根本察觉不出任何异常。

郑琴的手机通话记录也同样看不出端倪。这一天都是和厂里的人员沟通，在下午4点之后就没有接打过电话，也没有收到过任何短信。她不是突然被人打电话叫下车，而是早有计划地去那里。

在普普通通的一天，工作过后，郑琴有目的性地去了一个平常不去的地方，然后就这样消失在人海里。

涛哥不由得联想起半年前自己辖区里的一起案件，一个女孩子和男朋友分别后，在离家不到500米的路上失踪了，几天后被再次发现时，已经是一具高腐尸体。

他得加快速度。

涛哥决定去郑琴下车的公交站转两圈。没到下班时间，炙热的阳光下，路上只有货车来往，几乎看不到行人。

工业村里有不少家具厂，但出入的道路只有一条，进村和出村的位置都有监控，至少这是个好消息。

涛哥试着又拨打了郑琴的电话，还是关机状态。虽然不喜欢整天对着电脑，但是现在已经没有更好的选择，涛哥安排值班的兄弟分头看监控视频。到了晚上9点多，汇总的结果显示：郑琴没有再坐公交，也没有步行离开过工业村。

那人去哪儿了？一个大活人怎么会大白天在这么一小块地方消失了？

看着视频里来来往往的人和车，涛哥突然反应过来，她要么还在那个村子里，要么就是在某辆私家车上。

没有步行离开，很可能是搭了私家车，所以监控里才看不到。但这么多车进进出出，上哪儿找郑琴坐的那辆？

香烟抽完一盒又一盒，涛哥终于又有了新的想法，路过车辆的行车记录仪，是否有可能拍到郑琴的行踪。

涛哥又找到最早的那两段视频，记下了郑琴下车后二十来分钟经过的所有车辆的车牌号。

那时候，行车记录仪还是个稀罕的玩意儿，不像现在几乎是每部车的标配。

第二天，涛哥按照车牌号查到司机的电话，逐个打电话过去，询问对方是否安装了行车记录仪。虽然极力解释自己不是推销，但还是难免被误会，费了好大劲儿总算是确定了 5 台车上有行车记录仪。

涛哥叫来所有没有紧急任务的同事一起看视频，在郑琴失踪的第三天中午，终于在一辆小汽车的行车记录仪上，看到了郑琴。

她打开了路边一辆广州本田车的车门，坐上了副驾驶座。

涛哥查到了郑琴上的那辆本田车的车主，欧建华。

欧建华的车在当天下午 5 点 50 分进村，只比郑琴早 10 分钟到。随后抵达的郑琴上了他的车，20 分钟后，村口的监控拍到他开车离去。

涛哥把抓拍照片放到最大，又一帧一帧地回放监控，确定本田车离开时，车上副驾驶座和后排车座上都没有郑琴的身影。

郑琴在和这个男人会面后，就失踪了。

欧建华那辆本田车随后的行踪被一一确定。但确定的越多,涛哥越疑惑。

郑琴失踪那天,欧建华6点20分离开工业村,6点30分接到儿子,然后当晚如约去喝了朋友的喜酒。宴席结束回到自己家后没多久,又一个人开车出村。

道路监控显示,他出村后先是在旧钢铁贸易市场周围转了两圈,停留了大约5分钟,然后去了镇上的酒吧,1点半才从酒吧出来回家,之后没有再离开。

这家伙真是凶手吗?什么样的人杀了人后能若无其事地去喝喜酒,接着还能去泡吧?要知道做这些事的时候,郑琴的尸体很可能就在他的本田车上!

载着一具尸体满街跑,这得是什么心理素质?

欧建华那晚的行车轨迹中,最反常的就是在去酒吧的途中拐去旧钢铁贸易市场晃悠了两圈。涛哥决定,先去那儿看看。

平时,涛哥没少抓半夜到旧钢铁贸易市场拆电线、撬铁皮的拾荒者,这回再次来到这儿,更觉得这里是个抛尸的好地方。

因为搬迁,钢铁贸易市场废弃了两年,这片接近10万平方米的地界,除了原本正门的位置有一个保安看守,四面的围墙上到处是可以钻进钻出的破洞,里面更是杂草丛生。

涛哥把队里没出任务的兄弟都叫来,大家排着队,双向交叉搜寻。

欧建华只在这附近停留了很短的时间,显然不可能对尸体进行掩埋。夏天的气温,案发超过3天,尸体就会高度腐败,10米之外都能闻到明显的尸臭,近处肯定也会苍蝇乱舞。

这么多人搜查，想漏掉都很难。但两遍下来，死猫死狗发现了两只，人一个没有。

究竟是哪儿出了岔子，郑琴的尸体去哪儿了？

涛哥本来都准备把欧建华揪过来问话了，但现在看来，这家伙有周密的计划，反侦查意识也很强，手里没有明确证据的情况下贸贸然把人带回来，又审不出，案子很可能就砸了。

还得缓缓，等他自己露出破绽。

事发后的两天，欧建华一切如常，正常上班、下班、回家，去的地方也都是公司和家附近。

直到第三天，涛哥在跨区的公路桥监控里，看到了欧建华那辆本田车。他驱车去了隔壁镇，隔了2个小时才回来。

欧建华是贸易公司的业务员，出趟差看似没什么特别，但涛哥反复看欧建华往返的监控视频，总觉得有点不对劲。

他截下监控里最清晰的两张图，放大之后，终于发现了问题——出去的时候，副驾驶座的靠背是灰色的，而回来的时候，那个座椅的靠背变成了蓝色。

在欧建华出去的这两个小时里，他更换了自己的车辆座套！

涛哥开着自己的车，沿着视频里的路线一路开到隔壁镇，一看时间，15分钟。

涛哥留意到，这一路上有三家洗车店、两家修车铺。欧建华更换座套，极有可能就是在路边这几家店里完成。

涛哥决定从过桥第一家洗车店开始查起，结果在第一家，就问到了让他心跳加速的消息。

店里除了老板就4个伙计，他们都记得有辆本田车前两天来店里光顾过。除了更换座椅靠背布套的顾客本就不多之外，更重要的是，他们记得，"车后备厢里有很多血"。

洗车的伙计问欧建华，怎么会有这么多血，对方告诉他，自己在市场上买了一条刚杀的狗，血没放干净，才弄成这样。

伙计用水冲洗了好几遍，都洗不大干净，干脆给后备厢换了一个地垫。最后，对方嫌自己的座椅靠背布套旧了，又在店里换了全套的座椅布套。

这一线索给了涛哥很大的信心。

狗血还是人血，验了才知道。

郑琴失踪后的第六天晚上，涛哥在欧建华家门口把嫌疑人连人带车押回了派出所。

这个 30 多岁的男人衣着得体、皮鞋锃亮，看得出很注重保养和打扮，个头只有 1.65 米。

涛哥把对方带到留置室最里面的一间房，不管怎么问，欧建华只回答了自己的姓名和家庭情况，其他问题一概不答。

果然是块难啃的骨头。

审到凌晨，涛哥自己的眼皮先开始打架了。算上这一晚，涛哥已经 3 个晚上没睡过好觉了，白天晚上都盯着监控视频，实在是有点顶不住了，于是把我和胜哥一块儿喊来做"外援"。

胜哥把休息室里的涛哥拉起来研究案子细节，我则带着工具箱，在派出所的车棚里勘验了欧建华的那辆黑色本田车。

刚洗过没多久的车，外面无刮擦碰撞痕迹，车里也干干净净，座套都是新换的。打开后备厢，眼前是一块崭新的地垫，侧面原本的车辆衬布明显和地垫新旧不一致。整个后备厢充斥着洗涤剂的味道，但只要靠得足够近，我总感觉能闻见一股血液腐败的腥味。

果然,喷上鲁米诺试剂之后,后备厢侧面和顶上都有明显的蓝色荧光反应,那些斑斑点点的荧光都是一滴滴甩溅状的血滴。

这说明凶手在后备厢里,还击打过死者。

如果这血迹真的来自郑琴,究竟什么样的仇怨,让欧建华对昔日缠绵的情人下这么狠的手?

郑琴失踪后的第七天。按照我们当地的习俗,这天晚上,算是郑琴的"头七回魂夜"。

早上眯了一会儿之后,涛哥和胜哥商量好策略,顶着黑眼圈,去留置室换下了前一晚的审讯人员。

讯问笔录上还是一片空白,欧建华依然没有交代任何案件相关的情况。

虽然昨晚后半夜按照规定让对方睡了一会儿,但在留置室的铁椅子上,没有人能安心睡着。加上被捕的心理压力,欧建华这会儿已经精神萎靡了,缩在宽大的铁椅子上,显得格外瘦弱。

"你们要我说什么呀,我和她没有关系。"欧建华重复着这句话。涛哥和胜哥对了一下眼神,决定抛出第一张牌。

"2008年9月17日鸿发宾馆504房,10月12日福来酒店605房,还有其他好几个酒店的记录,你们这么多一起开房的记录,你说没有关系?"

欧建华愣了一下,干脆垂下了眼皮,不吱声了。虽然还是和开始一样沉默对抗,但涛哥注意到,欧建华在椅子上不断调整姿势,时不时揉脸、按眼角。

快到极限了,涛哥瞅准了时机,把手伸到裤兜里,按响提前准备好的手机铃声。然后像模像样地把手机拿出来,一边往外走,一边假装打电话。在随手关门的时候故意提高音量:"找到了?"

两分钟后,涛哥钻回审讯室,全身放松靠在座椅上,一副大势已定的样子,眯着眼睛看着对方,漫不经心地说:"尸体找到了。"

涛哥留意到,他说这话的时候,欧建华咽了口唾沫,表情越发凝重。

胜哥也适时表现出惊讶,问涛哥谁找到的。涛哥随便扯了个所里的治安员,说现在尸体找到了,欧建华要是再不说,就是死路一条,反正车后备厢已经发现死者的血了,想赖也赖不掉。

胜哥趁势告诉欧建华,现在如果如实供述,算自首,加上又是初犯,最多判个死缓,老实坐牢,回头出来还能抱孙子。

这下,欧建华的最后一口气也扛不住了,跟涛哥要了一根香烟,点上后狠狠吸了一口,终于开了口。

郑琴之前也在欧建华所在的公司上班。欧建华是业务员,经常需要去外面跑,和客户应酬;而郑琴是财务,正好卡着他的报销。

为了顺利报销,他出去跑业务的时候经常带些奶茶、甜点回来给郑琴,一来二去刷了不少好感。

那段时间郑琴刚离婚没多久,正处在感情空窗期,两人很快从普通同事发展成了地下情人,经常去酒店开房。他们平时不打电话,只用 QQ 联系,因此保密工作一直做得很好。

在某次私会之后，欧建华向郑琴借了6万元钱。明面上的理由是因为养两个孩子没攒下钱，最近家里老人生病急需要钱，答应对方到年底就还。实际上是欧建华自己买六合彩，借了几万元的高利贷，急着还钱。

郑琴手里还算宽裕，很爽快地给欧建华打了钱。

那时俩人感情好，借几万元钱不算什么大事。但他们忘了，什么恋情都有保质期。

到了年底，好赌的欧建华发现自己还是没有余钱，郑琴催了他几次，他也只还了几千元。

几次催促无效之后，郑琴和他关起办公室门大吵了一通，厂里的同事也开始有些怀疑两人的关系，郑琴干脆离职，找了新的工作。

此后，两人的联系并不多，每次欧建华接到郑琴电话，都是催促他还钱。

案发前3天，郑琴又在QQ上问他什么时候还钱，那天他刚好输了一个月工资。看着银行卡上不多的余额，他不耐烦地说，不就是几万元吗，整天和催命一样。

郑琴告诉他，自己想买个小户型的房子，急着用钱，如果他一周内不还钱，就会去他家里闹，让他老婆看看自己男人在外面是什么样。

她还威胁欧建华，说自己手里还有不少他虚报发票的证据，要是最后撕破脸，她就去找原来厂里的老板，让他丢掉工作。

最后郑琴撂下话："天不还钱，我就让你天不安生！"

那天晚上欧建华翻来覆去睡不着。

虽说欠债还钱天经地义，但他有家有孩子，既不能卖车，也不能抵押房子贷款，老婆都会察觉。

思来想去，欧建华想到了最直接的办法：要想守住自己的家，他必须解决郑琴这个麻烦。

案发那天上午，欧建华用"筹到钱，要还钱"的理由把郑琴约了出来。

本来以为能拿到钱的郑琴，发觉自己被骗后没给欧建华好脸。欧建华早料到下午和郑琴的见面不会愉快，其实约人之初，他就准备好动手了。

两人在车上拉扯起来。郑琴一巴掌甩到他脸上，本就不痛快的他顺手拿起汽车方向盘锁，猛地敲到郑琴头上，郑琴眼皮一翻，软倒在副驾驶座上。

欧建华慌了神，他试着推了推对方，郑琴毫无反应。

他以为自己一下把人打死了，有些恍惚，赶紧看了看四周，发现前后都没有车辆和行人。

他赶紧把车开到旁边的小岔路边，把郑琴从副驾驶座拉下来，抱起来放在了后备厢里。

回到驾驶位时，他发现带血的方向盘锁还在座椅上，又拿起它，想放后备厢去。结果一打开后备厢，他发现郑琴正一边痛苦地呻吟，一边伸手乱抓，貌似想坐起来。

这时，电话突然响了。欧建华吓了一跳，拿起来一看——是自己老婆打来的。

对方提醒他赶紧去接孩子，晚上还有喜酒要喝。

欧建华挂了电话一看时间，已经 6 点 15 分，处理尸体肯定来不及，丢在这附近又会被人发现，他只能先载着郑琴的尸体去接老婆孩子，再去喝喜酒。

于是，诡异的一幕就这样发生了：他的副驾驶座上坐着自己的老婆，后备厢里放着旧情人，而他，为了掩盖自己的惶恐和慌乱一直不停地和老婆说话。

在红绿灯路口，高清摄像头抓拍到的视频里，甚至能看到欧建华面带笑容地扭头和老婆交谈。

喝完喜酒回家后，欧建华借口要出去应酬，又载着郑琴的尸体出了门。路过旧钢铁贸易市场时，他本来都已经停下车，准备把尸体丢在那儿，结果刚好附近有警车经过，他又载着尸体拐去了一家酒吧。

在酒吧喝完酒回到家，已经快凌晨两点，老婆和小孩早已熟睡。欧建华从家里找了个旧床单，把郑琴的尸体裹了起来。然后找来绳子捆好，用家里的摩托车，经小路，把尸体运到了屋后200米的河堤边，最后丢进了河里。

回到家后，他用毛巾反复擦洗后备厢，但那一大摊血迹怎么也清理不干净。担惊受怕两天后，他又发现副驾驶座椅靠背上也有几滴血迹。

虽然警察还没有找上门，但车里这些血迹无时无刻不在提醒他，他杀了人。他不敢去自己熟悉的洗车店，忍到第三天，终于去隔壁镇路边的一家洗车店换了座椅套，清洁了一番。

但一切"补救"都没能洗刷他的罪行，我们在郑琴的"头七"这天叩响了他的家门。

欧建华的老婆在得知老公杀人，杀的还是情人的时候，一个劲儿地说"不可能"。她对案发那天所有的记忆都是老公接自己去喝喜酒，那之前还接了孩子放学，就像往常的每一天一样。

"我们一路上有说有笑，怎么可能是他杀了人？"

在女人的眼里，欧建华是好老公、好爸爸，按时接孩子，经常帮做家务。涛哥他们到最后也没告诉她，欧建华和她有说有笑的时候，被欧建华欺骗的另一个女人郑琴，已经变成了尸体，被塞在后备厢里。

但愿欧建华妻子的这场噩梦醒得不算晚。

讲到这里，涛哥起身，把一桶两升的矿泉水灌到水壶里准备泡茶。

我问他，是不是到现在还没有改变喝矿泉水的习惯，他无奈地笑了笑，告诉我，没办法过去那个槛儿。

那次，欧建华交代了抛尸位置之后，虽然已经过了7天，按常理来说，尸体早就不知道漂到几百千米之外了，涛哥依然组织了十几个人，一半坐船，一半沿河边寻找。

本来大家都不抱希望，结果在距离抛尸地点大约1千米的地方，他们就发现了郑琴的尸体。

经过7天时间，尸体已经高度腐败，膨胀的尸体被床单裹着，正好被镇上自来水厂的那根直径四五十厘米的取水口给吸住了，并没有漂走。

捞尸体的时候，几个人一起用力，才把她扯离那个取水管口。

现场的警察和治安员，看着尸体上不断向下淌的腐败液体，想着自己和全镇20万人一起连着喝了六七天这样的水，当场就有两个人吐了出来。

涛哥回去之后，一口气给家里和队里订了一年的桶装水，从那之后再也没有用自来水泡过茶、煮过饭。

我告诉涛哥，其实每条江、每条河，每年都有无数的水浮尸。但自来水厂净化过了,就是干净的水。

作为法医,我们只要让河里少些枉死之人,让水里没有冤魂,那水煮出来就是好水,泡出来的就是好茶。

# 07

## 深渊之下

**案发时间：** 2004 年 10 月

**案情摘要：** 尼姑庵杀人案的凶手当庭喊冤，法官"刀下留人"。定罪证据遭到质疑，作为法医的我成为舆论中心。

我势必将律师提出的疑点一个一个消除，让证据像钉子一样，一颗一颗，钉住罪行，证明自己的清白。

那一天，法医的命运被迫和一个死刑犯捆绑在一起，整整8年。

有人指责他做伪证，有人说他不值得信任。稍有差错，死刑犯出狱，他自己进去。

这个故事关乎的不仅仅是一个法医的命运，背后的案件改良了整个区域的侦破流程。

法庭空旷，任何声音都显得格外洪亮。

"被告人田华，犯故意杀人罪，判处死刑……立即执行。"老法官大声宣读完最后一段，放下了手里的死刑执行令。

作为中级人民法院资格最老的刑事法官，今天很可能是他最后一次在庭上宣判。

旁听的人已经开始陆陆续续往外走，相互间压低声音交谈，发出一阵含糊的嗡嗡声。

突然，一个异常响亮的声音从被告席上传来："我是冤枉的！我没杀人！"

人们停住脚步，老法官也诧异地抬头，所有目光一齐注视着被告席上的男人。

老法官工作了 30 多年，见过数百名死刑犯，这些人经过长达数年的审判，对结果早有预见，被宣判的最后一刻，大多是恍惚和沉默的。但这个田华，从执行令宣读开始，就一直重复着同一句话："我是冤枉的！我没杀人！"

庭内静得可怕，喊冤的声音在四周回荡。

一个命案的卷宗多达数百页，并非经办者的老法官，现在手里只有一份执行令。

田华被架着往庭外走去，他的叫喊声变了调，越发声嘶力竭。老法官心里也越来越没底。

今天宣读执行令的本不该是他，经办该案的法官突然生病住院，老法官帮忙"客串"走个场。

就要退休了，老法官不想在这时出现冤案。看着田华被带出审判庭，他没有跟随去刑场，反而叫住了副检察长。

"我担心案子有差错，刀下留人！"

我听到"刀下留人"这句话时，是两周后——案件被发回重审。

推开会议室的门，局长、检察院副检察长、主办该案的女检察官已经在等我，他们还保持着上一秒闲聊的姿势，见我进来，一瞬都不再讲话。

屋里的空气像是突然凝结，三个人面对着我，正襟危坐。

"案件的关键点还是在廖法医这边，我们来是希望再次确认一些细节问题。"副检察长率先开口，态度客气。

两年前，负责田华案的法医是我的同事，后来他调回家乡，我接手了。

不是自己一路跟下来的案子，我心里多少有点忐忑，所以当初拿到案件资料，我最先翻看的就是证据。

田华被捕后显然意识到了什么，他的口供前后多达9次，起初他还承认有罪，等案子到我手里的时候，他开始一次次推翻先前的口供，辩解自己无罪了。

虽然口供不稳定，当年的办案过程也存在一些瑕疵，但万幸的是，案发现场有田华留下的血迹——这是定罪的铁证。

我定了定神，从档案袋里翻出上百张照片，再一一排列，长长的会议桌被占掉了三分之二。

女检察官拿起其中一张，多少带点质疑的口气发问。

我一边解释，一边递给她几张照片，都来自案发中心现场。

那里是一座尼姑庵，上下两层。一楼佛堂里，金色观音像一脸平和慈悲，二楼，凶手却在她头顶上方大开杀戒。

两个尼姑倒在二楼地上，原先素净的长袍，浸透了鲜红的血液。

其中一个尼姑明显经历了一番搏斗，但只让凶手受了点小伤。我们在屋内提取到了"第三人"的血迹。

凶手没有丝毫怜悯，刀刀致命。血不断向外涌，渐渐漫过大半间屋子，滴滴答答，湿透了二楼的地板。

房间地板上遍布斑驳的"血鞋印"，但都来自两位受害者。凶手为了不留痕迹，特意脱掉了鞋，他很小心，却没注意到自己的袜子沾上了血。

于是，凶手在通往房间的路上，留下了一个扎眼的"血袜印"。

红色功德箱上的挂锁被随意丢在一旁，里面的钱已经被洗劫一空，零星散落的几枚硬币也淹没在这片血泊之中。

金色观音杏眼微阖,她若有灵,一定静静注视着凶手离开。

"有些细节,后期需要你来补充。"看完了所有照片,女检察官回到位置上,用笔记录着什么。

对于发回重审的死刑案而言,我知道这话的分量有多重。

自从"辛普森杀妻案"之后,国内对现场证据的出处也越来越重视,用非法手段取得的口供物证只会是"毒树",只能结出"毒树之果"。

我在走廊和女检察官握手告别。临走前,她说起代理这个案子的新律师:"苏律师经手过很多大案子,听说挺难缠,你要有心理准备。"

在我看来,案件本身铁证如山,换一个律师能折腾出什么花样?我冲女检察官笑了笑,算是谢过她的好意。

很快,我就吃了律师一个下马威。

那段时间,我总在大清早接到女检察官的电话,问我案发现场的细节。

女检察官告诉我一个重要消息,苏律师会见完田华,一口气提出了十几个案件重大疑点。

我明白,他这是想效仿"辛普森杀妻案"的辩护过程,那起案子最后就是因为证据有瑕疵没能宣判。

田华案审理期间,我们圈子里正掀起一阵"辛普森热",没想到冥冥之中竟和我的案子产生了连接。

果然是办过大案的架势。苏律师抓住了一个要点——只要证明卷宗里的证据都是可疑的,他就有机会为当事人做无罪辩护。

我接手这个案子时,也反复阅读过卷宗,有的地方确实挺巧,比如田华落网的过程。

发生命案后,他没有像正常凶犯一样逃窜外地,反而继续在警方的眼皮底下活动。那里是一片工业区,多是外来人口,常常是还没认清脸,对门就换了租客。田华藏在其中,给警方的调查带来了很大的困难。

眼见警方的动静越来越小,田华干了一件出乎所有人意料的事:身背命案,还跑去朋友家偷东西,只偷了300元。

警方赶到,把田华逮了个正着。

他之前没有正当职业,盗窃赌博,前科累累,早就上了警方的黑名单。

负责抓捕的胜哥掏出手铐,意外看到上面刻着"四川峨眉山警械厂"几个字。他猛地联想起尼姑庵发生的凶案,受害的两位尼姑正是当地做生意的人从峨眉山请过来的。

更让胜哥血往头顶上涌的是,田华手上有新伤口!结合这个人的"黑历史",他脑子里瞬时响起警报,一刻没耽误,扭送田华去验了血。

结果显示,田华的DNA与尼姑庵现场凶手留下的血迹完全吻合。

案子办多了,这种程度其实都算不上巧合。没日没夜的排查、取证,我们比凶手多的不只是运气。

至于为什么在杀人之后还敢"出手",田华有两种说法,起先是说朋友欠了他几百元不还,就想着去拿点东西抵账。后来他又不承认了,说报警的人跟自己有仇,自己是被陷害的。

田华的反复无常,新律师的不遗余力,都让我对自己手上的证据更加慎重。

我的对手们显然意识到,这是一桩"认罪必死"的案子。

我需要将律师提出的疑点一个一个消除,让证据像钉子一样,一颗一颗,钉住罪行。

第一颗"钉子",就在案发现场。

打开门上的挂锁,我伸手推开尼姑庵的铁门,生锈的门栓发出一声刺耳的"嘎吱"声。虽说是尼姑庵,但从外表就是一个有些简陋的二层小楼。

在广东,观音信众很多,如果不是发生了命案,这里也应该是香塔垒得老高,燃尽的香灰积下一层又一层。

现在,这里俨然一幅被废弃的景象。解封初期一两个月,尚有附近的村民来打扫,但是很快就再无人光顾。

命案后两年的时光里,尘土侵袭了庵内所有的角落,我穿着鞋套走过,在地面上留下了一串清晰的足印。

从大门进去就是一楼的佛堂,正中神龛上,那尊1米多高的金色瓷质观音像依然立在那儿。

尽管已经落满灰尘,但观音像还是一副慈悲面容,当初,血案就发生在观音像正上方的房间里。

我本能地抬手想要拜一下,又突然反应过来这是案发现场,不太合适,只好作罢。

不知道田华拿着刀从普度众生的观音大师眼前经过时,是否和我一样,有一瞬心神动摇。

环顾了一圈破旧的佛堂,我叹了口气,向二楼走去,那是两名尼姑生活的区域,也是案件的中心现场。

原本铺满地板的血迹虽然被清理过,但楼板上依然留下了大片大片暗色印迹。一张长桌,上面只孤零零地摆着一个抽纸筒。正是在这里,我们提取到了田华的滴落状血迹。

二楼有一扇横窗,从最初的现场照片和痕迹来看,田华正是通过这扇横窗进入现场的。

但这一点受到了苏律师的质疑。这扇横窗宽60厘米,高度不足30厘米,开口扁而窄,外部没有落脚点。他提出一个疑问,狭小的窗口能否让一个成年男性通过?

现在,这扇窗户就在我眼前。

我站上凳子,贴近窗口,撒上尘土。

窗外,与田华身型相近的治安员顿了几秒钟,开始摸索着爬进横窗,努力将自己塞进那个小口。

氛围很紧张,所有人都盯着那扇横窗。外面的治安员背对我们,臀部不断摇摆,挪动向前。

如果他停住了,卡住了,就意味着我们的证据将直接被推翻。

四周静悄悄,录像机闪烁着红灯,镜头对准窗口,录下了这一切。

先是腿,再是躯干,当治安员的头也顺利地钻进来之后,我松开了自己捏紧的拳头。这个治安员能顺利通过,那么田华也行。

治安员进入时在窗口留下的灰尘痕迹,和现场照片上显示的一模一样,这说明凶手就是从这个窗口攀爬进入现场的,我们最初的判断并没有错。

律师的第一个质疑被钉上了"钉子"。


我们收拾好工具,准备锁上门离开。不知什么时候,屋外已经聚集了数十个附近的村民。

见我们出来，人群里前排的几个稍稍低下头，嘟囔道："那个案子不是人都抓了吗？还来这里干啥？"边说，眼睛边止不住地往我们身上瞟，嘴里的叨咕也没停："听说那个田华都快枪毙了，却在刑场喊冤，上面说是要重新查。"

"你说会不会真的是警察栽赃啊？听田华老婆说他胆子小得很，根本不可能杀人。"我侧身从这些村民和他们的议论中经过。"谁知道呀，现在的警察除了会给我们开罚单，什么案子都破不了。"

虽然我只是法医，既不开罚单，也不抓人，但我是警察，穿着警服就不好与他们辩驳。

一回单位，指挥中心就通知我，有家报社想就这个案子对我进行采访。

"刀下留人"以后，媒体对案子的关注越来越密切。新闻网站做了实时更新的案件专题网页；各路媒体采访完田华的家属，又找来"专家"分析，连住在田华家附近的村民都忙着发表感想；甚至有记者直接打到我的私人号码上想约采访。

但"案件还在侦办，具体细节不便公布"，这是指挥中心给出的意见。作为案件经办人的我，在这一刻，只能保持沉默。

看着报道凭空发酵，自己却不能发声，我突然感觉很憋屈，就像被人打了一顿，我还不能还手。

我拒绝的那些发言机会，最后都到了苏律师那里，他主动找来记者"爆料"。一时间，大小报纸的社会版块整版都是这个案件。

我拿着那些报纸，看了看，没有说话，又折好放了回去。

后来有人问我什么感觉，我说，没有什么感觉。

再有人问我,我还是说,真的没有什么感觉。

当法医那么多年,我还是喜欢和尸体打交道。活人太复杂。

与我回避媒体不同,据说,苏律师是在报纸上看到这起"刀下留人"的奇案,自己找上门来的。

不难理解,这种"刀下留人"的案件实在罕见。他复印了厚厚的卷宗,在看守所会见了田华。

看守所的兄弟告诉我,苏律师翻看案卷的时候,田华就在一边翻来覆去地辩解,辱骂警察。

"我没有杀人!"太久没有人可倾诉,田华见到苏律师时,只反复地说这一句。

苏律师知道,仅凭一份"死不承认"的口供显然不够。

在各大报刊上,他提出了关于血迹的两点质疑——

怎么证明田华的伤是行凶所致?怎么证明现场血迹不是警方后弄上去的?

案发现场的血迹,正是给田华定罪的铁证。我们抓到人后,也确实在他右手食指上发现伤口。

但按照苏律师的说法,田华是一个胆小怕事的人,甚至会晕血,他惯用右手,如果右手持刀,搏斗受伤的就该是左手。

至于田华右手食指上的伤口,苏律师说那是田华被捕前修剪橘树弄伤的。

苏律师正在撬动整个证据链的基石——田华留在现场的血迹。只要推翻这个证据,杀人指控就会土崩瓦解。

我是一个法医,耍了那么多年刀,对这玩意儿再了解不过。

在普通人的想象里，搏斗中容易受伤的是非持刀手。实际上，由于普通小刀没有护手，凶手捅刺时只要碰到骨头，握刀受力的那只手就容易滑出去，这种情况食指最容易受伤。

与田华搏斗的尼姑，肋骨上有多处捅刺伤，这说明凶手捅刺时刀尖必定受到阻力，而田华右手食指的伤口就是典型的"捅刺行为"造成的损伤。

至于律师说血迹是警方后来涂上去的，这根本办不到。

现场取得的血迹照片，放大后能看到血迹呈"滴落状"，这是液体血液才能形成的形态。但田华被捕后，我们没有给他抽过成管的血。

我手头只有一张滤纸卡，上面是星星点点干燥的血迹，根本不足以拿到现场造假。

可让我想不到的是，这些几句话就能解释清楚的猜测，因为我的沉默，越发挑动了外界对于这起传奇案件的敏感神经。

那位素未谋面的苏律师，此时完全站在我的对立面，围观人群心中的天平不断向他倾斜。

我只是一个法医，解剖台才是我最熟悉的地方，拿了那么多年手术刀，突然要我拿起话筒发声，真的太难。

面对来自四面八方的声音，我知道，自己唯一能依仗的，只有证据。

但我远远低估了这股"声浪"的能量，在接下来的对抗中，这无形的浪潮几乎将我淹没。

就在苏律师向媒体"爆料"后的第四天，我的同校师兄李法官，向我出具了法院的公函。我盯着那张薄薄的A4纸，足足一分钟。

白纸黑字，公函上的要求写得很明确——封存、检查原始的 DNA 检验记录和电子数据。

他们想要将物证从我这里带走，委托第三方鉴定。

我看了一眼师兄，他脸上带笑，态度极和蔼，说出口的话却是在下达指令。

我没有选择。

我预料到这个案子会进一步核查物证，但法院现在提出的要求，摆明不是简单的怀疑。

对于一个法医来说，专业水平被质疑不可怕，谁都不是万能的。但这样一封公函，是我职业生涯第一次面临如此严酷的指控——做伪证！

这比破不了案更让我难受。

来人在师兄的指令下开始忙活起来，每个人都在拍照、四下翻找。我定定地站着，像置身在一场风暴的正中心。

"咔嚓咔嚓"，照相机按下快门的响声，让我的太阳穴突突直跳，就像被脱光了衣服一样，浑身不自在。

下一秒，我逼迫自己挪动脚步，接过法院的 U 盘，把手僵硬地放到鼠标上。服务器的记录显示，电子数据没有任何修改痕迹，早在田华被捕 3 天前，我们就得到了现场血迹的检验结果。

除非我们能穿越时空，否则苏律师所谓的造假指控，根本不存在。

从嗡嗡鸣响的机房出来，我在前带路，一行人沉默地向另一栋大楼走去。那里是存放物证的档案室。

我将他们留在门口，穿过眼前一排排架子，熟门熟路地翻找。最后，我亲手把装着关键证物的牛皮纸袋交给师兄。

看着即将被取走的物证,我不由得冲动起来,大声说道:"原始记录你们可以拷走,但是物证必须留一半给我。你们不信任我的检验结果,我同样不愿意相信你们选取的第三方机构!"

我说完抬起头,面对师兄的双眼,保持直视。

我不介意补充各种材料,也不抵触完善疏漏,唯独无法面对有关自己职业的质疑。

被怀疑做"伪证"的那一刻,我居然慌了。如果这些不存在的事被舆论坐实,等待我的可不是革职那么简单。

之前曾有人收钱做伪证,原本应该送人进监牢,最后把自己送进去了。更严重的是,鉴定结果只要错过一次,后面再出具的检测报告都会让人指指点点,给队里抹黑。

就在田华案前不久,我们队里曾出过一起错案,当时队里气氛已经很紧张,再出一次类似事件,无异于火上浇油。

现在,血迹样本被一分为二,我拿着剩下的一半。

接下来,我只相信手里的证据。

"这是怎么一回事?"队长将手中的报纸拍到了我的办公桌上。

社会版上,大大的黑体字写着"刀下留人案再现转机:现场未发现嫌疑人DNA"。

眼神触及那行黑字的瞬间,我就反应过来,这是苏律师找到的"最新突破口"。

报道说,我被取走的那一半材料,在中山大学法医鉴定中心检验了,其中4号检材中没有发现田华的DNA。

对于这样的检验结果,我并不意外。法院拿走的仅是一半检材，检验结果不理想很正常。这也是我要求留下一半物证的原因。

反观这篇报道，通篇都只强调没检出来的 4 号，对其他检验结果却只字不提。文末还得出结论：警方之前的检验报告都是错的，不具有法律效力。

我抬起头，深吸一口气，看向队长："一份检验不理想，根本不能推翻之前的鉴定结论。"

我相信自己，更相信手里留下的另一半证据。

临近下班，实验室所在的大楼空无一人，整栋楼只剩我的实验室和门口值班室的灯还亮着。

我打开门禁，把物证拿进实验室，开启了录像。我小心地把密封袋剪开，再次取出那 3 份检出田华 DNA 的棉签。

现在它只剩一半了，沾染的血迹所剩无几，有一只甚至只能隐约看到一点浅粉色的晕染痕迹。

我屏住呼吸，将剩下的染血棉签小心翼翼地全部剪取，滴入 DNA 提取试剂，目光全程盯着那个小小的塑料管。

现在我能做的，只有耐心地等待。

夜晚是一个适合做实验的时间，没有嘈杂的议论，没有乱哄哄的人群。四下寂静，只有头顶白炽灯管工作的电流声。

透过实验室的窗户向外望，除了星星点点隐约的光亮，只有我自己倒映在玻璃上的影子。

法院已经委托了第三方检验机构，我的检验结果不会作为参考。这次实验，我只为给自己一个交代。

午夜时分，距离我滴下试剂已经过去 6 个小时，我点开图谱，一个一个开始对照。

窗外一片漆黑，不知什么时候，值班室的灯也灭了。

全部对照完毕，我关上了整栋楼的最后一盏灯，拿着检验结果，合上了实验室的门。

我做出的结果和最初的检验结果相同——DNA 分型与田华的完全一致。

穿过两道铁门，我静静地站着，等着。

这是一间不到 10 平方米的小屋子，一道铁栏杆把它一分为二。我的对面竖着一把铁椅子，4 只脚都被固定在地面上。

我在这里等来了田华。这是我接手案件 2 年后，第一次见到这个男人。

田华在最初的笔录里交代，他戴着手套潜入尼姑庵，行凶后将两样东西丢在旁边的河沟里——手套和刀。可惜的是，后期我们并没有发现这两个关键物证。

没有凶器，没有指纹，想要稳稳钉住田华的罪行，我还差一个"钉子"，而此次见面的目的，就是从田华身上拿到它。

虽然没有指纹，但凶手在案发现场留下了一个清晰的袜印。

队里早已出具过一份检验意见，足迹就是田华的。但苏律师查阅档案后发现，两个签名的痕检技术员中，只有一个具有足迹鉴定资格，但检验意见两人都签了名，所以该意见无效。

这次，我联系了省厅的足迹专家出具检验报告，我自己亲自取田华的袜印。

因为需要他的配合，我没有把他关到栏杆那头的小隔间里，只是让他戴着手铐和脚镣站在监室的中央。

我打量着眼前的年轻人，不到 1.65 米的个头，110 斤上下，这些天和我一同站在舆论风口的男人竟如此瘦小。

深深的眼袋，垮塌的嘴角，平淡无奇的长相，看不出丝毫的暴戾和凶狠。略显宽大的黄色囚服套在他身上，有种空荡荡的感觉。

一个转身就会隐入人群的人，居然残忍地夺走了两条鲜活的生命。

他疑惑地看着我这个陌生的面孔，话语轻佻，一张嘴就知道是个老油条。"阿Sir，又要折腾什么呀？"

"打足迹，配合一下。"我示意看守所的管教将他的脚镣打开，拿出准备好的墨盒和白纸，还有一双袜子。

"有没有烟？给一根？"他伸出双手，懒洋洋地向我讨要。

"没有，我不抽烟。"我埋下头，避开了那双浑浊的眼睛。

"以前不是弄过吗？为什么还要取？"他用拷着的双手接过我递过去的袜子，慢吞吞地往脚上套。

看着他把袜子穿得皱皱巴巴，我伸手过去帮他捋平整，"该告知的时候，你自然就知道。"我依然没有抬头。

我在地面上摊开一张白纸，将捺印的油墨均匀地涂在他的足底，然后让他踩上去。一个黑色的足迹呈现在我眼前，完整、瓷实。

检查完采取的足迹样本，我对上他的眼睛，平静地说："你以为喊冤就能翻案吗？"

"至少我还活着。"田华把袜子扯掉，随手扔在一边，甩了甩手，头也不抬地回我。

"明知道结果，等这么久不难受？"我依旧没有移开目光。

也许是感受到我还盯着他，他站直了身子，微微扬起下巴，挑衅意味十足地说："能比你们审我时更难受？"

面对他肆意的指责，我平复了一下心情，开口说："审讯的时候有监控,你身上也没有伤,根本没有刑讯逼供。"

田华没有再说什么,我示意管教将他带走。看着他被重新戴上脚镣,我晃了晃手里的包,说:"我有证据。"

他回过头,瞪圆了眼睛冲我大声喊:"我没有杀人!是你们冤枉我,我不会认的!"说完,一步一步挪向囚室,脚铐和地面摩擦着,哗啦——哗啦——

案件证据都已准备妥当,我和田华即将迎来最关键的一次对抗。

检察官打电话的频率由开始的一周十几次,变到了几周一次,这预示着证据越来越完善。田华离最终的审判也越来越近。

那一天到了,法院会对 DNA 检验鉴定结果、田华袜印当庭质证。

我无法作为鉴定人出庭,但提前安排好了工作,计划去旁听。虽然对检验结果有信心,可我还是不能放松下来。

近期的报道充斥着各种揣测,这是田华翻案的最后机会,苏律师一定会全力以赴。如果法官被舆论影响,律师再做出不利的论述,我依然面临着挑战。

钉子钉得牢不牢,还要看这最后一下。

结果开庭那天早上,我临时接到队长的电话,有起突发命案要出现场。

我试探性地争取了一下,但电话那头,队长的语气着实为难:"实在没人手了,还是你去吧。"

开庭的法院就在公安局的隔壁,走过去不过短短 200 米。那里即将开始的庭审事关三条人命和一个法医的职业荣誉。

但来不及犹豫，我朝相反方向，第一时间赶往又一起命案现场，错过了当天田华案的庭审。

当我带着出现场的一身疲惫回到办公室，已是下午。

前去旁听的法制科同事告诉了我庭审的经过：同事费劲钻进横窗的努力没有白费，攀爬的侦查实验得到了认可；我亲自到看守所帮田华穿袜子，提取到的足印也被采纳；血迹的第三方鉴定人、中山大学教授作为专家证人，出庭接受了质询。他当庭向苏律师解释，4号样本未检出DNA是因为血迹的量太少，其他两处血迹检出的结果与最初一致。

悬着的最后一颗钉子终于敲定。不管过多少年，审多少次，这些证据都足以将罪行钉死。

听完庭审的情况，我长舒一口气，什么也说不出。

我在空荡荡的走廊里，静静发了会儿呆，转身回办公室，在沙发上补了一觉。

经过漫长的一审、二审、最高法院的死刑复核，从"刀下留人"算起，时间又过六载。

我还是会时不时听到有关案子的消息，田华依然坚持喊冤，但媒体的报道却再也没有分给他更多的版面。

苏律师陷入了困境，一起命案的诉讼，平均会耗掉一个律师两年，而田华这个发回重审的案件会耗多久，他无法估计。

终于，在第四年案件二审之后，苏律师放弃了这个案件。

媒体和大众需要的只是结果，我和检察官们还在慢慢完善案卷的细节。补充的案情说明加上各种材料近百页，纸质档案袋因为磨损，前后替换了3次。

我的办公桌上，档案袋来了一批，又还了一批，只有田华案的档案在我抽屉里一放就是6年。

虽然一次次的交手，让我打从心里感到疲惫，但这起案件后，我们内部办案的流程都严谨了不少。

我们会追溯物证的源头，各部门间对同一件物证统一称呼，凡是从现场取得的物证都会无一遗漏地拍摄特写细节照片。

谁也不知道，会不会出现第二个田华。

案件办完那天，我叫来胜哥一起吃饭。我们俩干了一杯可乐，感慨着破案过程的漫长，他接过话头说："其实早都注定了。"

胜哥又想起8年前抓田华时，拷在田华手上的那副印着"四川峨眉山警械厂"的手铐。

广东与四川远隔千里，给我们供应警械的厂家也不是四川的，那只手铐估计是出差办案的兄弟偶然带回来的。

杀死了峨眉山的弟子，又被峨眉山的手铐铐住。

"老天都不会放过他。"

我放下杯子，示意胜哥看看桌上的报纸，我刻意折好了一页留给他看。

一张田华的照片映入眼帘，那个6年前在法庭上大喊冤枉的人穿着看守所的马甲，戴着手铐，面容枯槁。旁边附着田华案的最新消息："曾备受关注的'刀下留人案'经过6年的重新审理后，罪犯田华于昨日上午第二次被法院判处死刑，并于判决后立即执行。"

这一次，再没有喊冤，也没有刀下留人，田华得到了应有的审判。我终于可以把这个案件的档案放回到 6 年前它就该在的位置。

夜已深,我关掉办公室的灯。今夜平安,睡个好觉。

# 08

## 尸体黑市

**案发时间：** 2017 年 8 月

**案情摘要：** 车祸现场送尸疑点重重。经尸检，车内尸体并非车主，且死者在车辆燃烧前已经死亡。尸体身份与来源不明。

**死　　者：** ?

**尸体检验分析：**

盆腔内见子宫，女性。

尸体完全碳化，头颅爆裂，见颈部气管及肠部外露，四肢离断。焚烧程度异常。

腹腔内脏器腐败严重，尸体在被焚烧前已经发生腐败。

制定抓捕方案的大会上,一屋子刑警兄弟把我的师兄,小个子法医李轩,围在了最中央。

队长看着这帮平时个顶个胆大的家伙,这会儿一个比一个怂,无奈点了李轩的名,请他务必参加这次的抓捕行动。

按理说,法医只管解剖台上"不会动的",不参加抓捕行动。但这次出任务,刑警兄弟们态度十分坚决:不带上法医,不去。

队长对李轩说:"有你陪着去打前站,其他人也会安心一点。"

做了20多年法医的李轩阅尸无数、见多识广,他第一次觉得自己像"钟馗",要被带去抓捕现场"辟邪"。

在座的别说抓捕现场,再惨烈的凶杀现场都去过,可一提起这次抓人要去的那个地方,每个人心底都犯怵。

而这一切,还得从法医李轩接手的一具诡异的尸体说起。

那天,李轩换了一副手套,目光转向解剖室推车上的最后一个裹尸袋——它已经在冰柜里躺了3天了。里面装着一具交警移交过来的尸体,由于一直没有家属签字,直到今天才办好强制解剖的手续。

李轩打开裹尸袋，尸体已经完全碳化，像一只蜷曲的黑色大虾，头颅爆裂，肠子外露，四肢离断，露出烧焦的骨头茬儿。

3天前，尸体在一部正在燃烧的宝马车上被发现。

看到尸体的第一眼，李轩就觉得疑惑：尸体的头发已被烧光，颈部气管暴露，躯壳里一片黑梭梭的样子，透过烧透的胸部甚至可以看见发黑的肺脏。汽车起火能把尸体烧成这样？

交警移交过来的尸体大多都是因交通事故损伤死亡，焚烧只是随后的损害，在车祸中烧成这样的尸体真不多见。

稍微一翻动，尸体表面的衣物灰烬就唰唰往下掉，他给尸体翻了一个身，没发现一块完整未被烧过的皮肤，单凭肉眼根本看不出是否有出血、结痂等"生活反应"，也就无法分辨生前伤和死后伤。

是被烧致死，还是死后被烧？

这种"火场尸体"最考验法医工作的细致程度和对线索的敏锐度。不仅大火会摧毁尸体，后期灭火的大量干粉泡沫、水流冲刷还会破坏尸体上的线索。

烧焦的尸体早已辨识不出面容，可李轩却要跟他"问"出其生前的身份和死因。

黑色的灰烬粘在李轩的手套上，他换了一副新的，拿过手术刀。肋骨被切开，一股奇怪的焦味混合着臭气忽然涌了出来。

臭气？腐败的味道。

烧焦的尸体解剖时照例应该发出焦煳的"肉香味"，而眼前这具尸体从送来就一直存放在冰柜里，怎么会有腐败的臭味呢？

李轩心里犯嘀咕，手上加快了速度，解剖刀来到了腹部。

他在盆腔里找到了子宫，是具女尸。这并没有让他松口气，因为紧接着他就发现，腹腔里那些没有被烧到的脏器果然都有不同程度的腐败。

交通意外发生后尸体立刻就被送到了殡仪馆，哪怕经过几小时的解冻，内脏的腐败程度也绝不会这么严重。

只有一种可能：这不是交通意外，尸体在被大火烧焦之前已经发生腐败了。

李轩摘掉手套，给队长拨去电话。

从现在起，这不再是交警负责的范围了。


一起普通的交通事故经由李轩的解剖，现在成了刑事杀人案。李轩直奔交警扣车场，那辆跟女尸一块被烧焦的宝马车就在那里。

那是一座庞大的车场，交通队最新查扣的违章车辆都停在门口，越往里走车上的尘土越多。转到靠右边的角落时，李轩就再也看不到一辆完好的车了——

有车头塌陷的，车尾塌缩的，还有甚至被拦腰撞成两截的残骸，破碎的电线和铁条斜斜地伸向天空。简直是个"车尸殡仪馆"。

李轩因为自己的联想自嘲地笑了。法医的职业病，看啥都容易往尸体上联想。

烈日炙烤下的车场里，那辆被焚烧的宝马车的"尸体"就躺在最角落，露天放置，烧得光秃秃的车架子即便在一堆车辆残骸中也格外显眼。

居然没人保护现场？

"那边不是有棚吗？前两天还下过雨！为什么不遮起来？"李轩忍不住发飙。

一旁的交警黑着脸介绍完案情，再也不愿陪着这个暴脾气的小个子法医，赶紧溜回车场门口的办公室了。

宝马车是3天前的傍晚在一条通往烂尾楼盘的岔路上被发现的，当时车头撞上路边的混凝土墩子烧了起来。一位摩托车司机远远看见火光才报的警，等消防车过来时，火都快熄灭了。

验过女尸，李轩现在要给这辆车的残骸进行"尸检"了。他灌下半瓶矿泉水，戴上手套，打开工具箱。

李轩围着宝马车光秃秃、黑黢黢的铁架子缓缓转悠：车窗全部爆裂，轮胎完全融化，车内原本豪华的内饰被火焰吞噬得干干净净，驾驶座只剩下一些金属框架和绷着的弹簧。

宝马"尸体"的惨状与女尸很像。李轩脑海里模拟着车辆燃烧的画面，一定是一场猛烈的燃烧。

李轩用钳子小心翼翼地将那些粘附在驾驶座上的黑色胶状物撬了下来，连周围的灰烬也没有放过，都装进密封袋。

像这种车内各个地方燃烧得都这么均匀、猛烈的情况也很罕见。而"罕见"，往往意味着"有疑点"。

李轩将塑料密封袋放回工具箱，摘下手套。这些东西会被送回实验室，用来检验现场是否曾有过不寻常的可燃物，比如不应该出现在车内的——汽油。现在不排除这场车祸有人为纵火的可能。

离开车场的时候，他特意到门口找到交警，说："给那台车架找个能挡雨的地方。"

"又没有人要,叫了他老婆几次,都不来辨认。"交警不耐烦地说了一句。

李轩一个激灵,问:"你说啥?车主的老婆?!"

李轩清楚地记得,解剖台上那具烧焦的尸体虽然外表性征已被烧毁,但盆腔里有子宫,绝对是女性!

李轩立即追问这辆宝马车主的信息。这一问不要紧——车主是男性,还是个富豪。

王成富,40多岁,早几年做服装外贸生意,风光过一阵子。但近几年,随着市场行情低迷,王老板虽然还开着豪车,实际上公司已经资不抵债,账户上亏空了上千万。

可以确认,宝马车里的不是车主王成富。

那被烧焦的女尸是谁?为什么会出现在王成富的车里?

李轩和同事马上着手调查了王成富身边的女性。

王成富的老婆年前就和他分居了,还带走了两个孩子,两人大半年都没怎么见面,唯一几次联系还是向王成富讨要孩子的生活费。可一提钱王成富就推搪了事,也从来不去看孩子,所以交警通知她来认车时,她根本没兴趣。

其他女性大多是生意上的往来,女债主里也没人失踪。王成富倒是有过一两个情人,但在他债务缠身后就再没怎么联系过。外侦组也核实了,几个昔日的情人都活得好好的,没出事。

查了一大圈都没发现可疑的人,可王老板就这么"失踪"了,只在他的宝马车里留下了一具腐败后又被烧焦的女尸。

外侦组查到件事很蹊跷。车祸前几个月,王成富给自己买了一份保额500万的保险,受益人是他的老婆孩子,而这起交通事故恰巧发生在保险观察期过了一周的时间。

也就是说，如果车祸被定性为交通意外，尸体被认定成是车主，王成富的妻儿就能得到一笔500万的保险赔偿。

队长把情况告诉李轩，并说出了自己的考虑："可能这小子是想骗保。"

但李轩当即表示不可能。因为最大的漏洞就在他的解剖台上摆着——车里被烧焦的是个女人！就算王成富想装死骗保，也该弄个男尸来顶包，哪有这么傻的？何况上哪儿能随随便便搞来一具尸体？

送去检验的车内燃烧物也给了李轩一颗定心丸，里面化验出了"汽油"的成分。这说明宝马车着火不是交通意外，而是有人故意泼了汽油焚车烧尸。

从现场和常理来推断，这更像是一桩杀人焚尸案。

李轩推测，女人是被王成富杀死之后，藏尸了一段时间，可尸体渐渐开始腐败，为了处理掉尸体，他不得不放火烧车，伪造车祸的假象。

送去检验的女尸很快有了DNA比对结果。死者名叫杨晓梅，23岁，家住本省另一个地级市，10天前和男朋友吵架后失踪，家里人报了案。当地派出所提取了她父母的DNA样本，资料入了库。

侦查组立即联系当地警方，得知女孩的生活轨迹很简单，从小就在当地读书，这两年也都在家附近工作。

奇怪的是，她从没来过我们这个小城，也没有朋友同学在这里。可现在，她的尸体偏偏出现在这个离她家三四百千米远的地方。

她失踪了十几天，但按解剖看到的腐败程度，死亡时间并没有那么久。

从死亡到焚烧，这之间必定有一个相对安全、不被人发现的藏尸场所。

李轩脑子里蹦出了一个再合适不过的地方：富豪王成富的家。那里极有可能是第一现场。

王成富家是一个独栋的别墅楼，带个小院，极为僻静。李轩刚到就感觉到不对劲——大门的门把手上积满灰尘。

推开门，院子里一棵桂花树花开得正旺，而旁边花盆里的花几乎都枯萎了。一看就是久无人照料。屋里也没几件像样的家具，冰箱空空的，地面上已经积满厚厚一层灰尘，却没有一个新鲜足迹。

这里至少有一个月没人住过了，不像是个发生过命案的地方。

李轩正准备继续核查王成富的其他住所时，队长的新消息来了：通过对比道路监控，王成富案发时间段的行踪已经确定。

此前一段时间，王成富不是在酒店就是在公司过夜，既没有外出也没有回过住所，只在宝马车被烧的前一天开车从本地去了几百千米外的S市，并且当天晚上就回来了。

让人兴奋的是，S市就挨着死者杨晓梅所在的城市！这是两人唯一可能产生交集的地方。

但这里有个说不通的地方：杨晓梅的死亡时间。

根据尸体的腐败程度推算，杨晓梅在王成富到达S市时应该已经死亡，甚至开始腐败了！怎么和王成富见面？

"这样看来，王成富又不大可能是凶手了。"李轩和队长对坐着，一起吞云吐雾，作为队里最资深的法医，他怀疑自己的思路确实跑偏了。

如果是个灵异爱好者，这时估计立刻就会联想到"死人搭车""怨鬼缠身"等各种鬼故事。但是作为法医，一个腐败的尸体出现在王成富的车上，之后还被焚尸烧车，李轩心里只有4个字：毁尸灭迹。

但这样看仍然很牵强。如果不是王成富杀的人，他为什么要放在自己的车里焚尸？就算是帮别人毁尸灭迹，也犯不着赔上一辆宝马车。这年头就算是"干脏活"也不值这个价。

难道真是为了骗保？那尸体从哪儿搞的？王老板为什么不直接找一具男尸顶包？

能回答这个问题的，恐怕只有"失联"的王成富本人了。

2天后，在一个日租房里，警察找到了王成富。

警察冲进房间的时候，王成富正坐在屋里唯一的小凳子上吃着盒饭。他并没有太亏待自己，盒饭是从大酒店拿的外卖，桌下还有大半箱没有喝完的罐装啤酒。

王成富被突然闯入的警察吓蒙了，他说自己根本没有预想过这样的画面，在他的想象中，最多只是债主追上门来。

被一群荷枪实弹的警察直接摁倒，王成富委屈极了。"我不过是烧了一具尸体。"

这话乍一听没什么毛病，可是，王成富接下来的话让包括李轩在内的所有警察都惊呆了——

"尸体是'尸体黑市'买的，2万块，就在S市的海边。"

"黑市""买尸体"，这两个词语出现在一个虚胖的前富商嘴里，让李轩都有些吃惊。

当了 20 多年的法医，李轩第一次听说买卖尸体的市场。

之前他最多听说过中原地带有配冥婚的习俗，可能存在买卖尸体的情况。但本地人对尸体从来都是躲得远远的，平日里不得不去殡仪馆送葬时，死者家属都会私下给送葬的亲友"洗头费"，好让他们去去晦气。

我也曾看过关于黄河捞尸人的报道，他们帮人捞尸，也会顺手将河里的无名浮尸捞起来，等家属找来，收点钱后再交还。有些尸体可能长期无人认领，捞尸人还会修建一些存尸场所。

但本地从来没有这样的习俗。

骗保、逃债、烧尸？根本支撑不起一个市场，更何况半公开买卖尸体。

根据王成富给的地址，李轩和同事们在地图上给那个不知名的角落取了个简单的名字：尸体黑市。

刑警队马上召集了所有人开碰头会，准备抓捕。会上，李轩这个法医俨然成了大家的"护身符"。

就这样，1 个法医，3 个侦查人员，开着辆车龄超过 10 年的面包车，直奔传说中的"尸体黑市"。

平时去抓人，他们都是带着手枪和手铐就出发了，这次李轩特意拎了一个法医勘查箱，里面塞了好几盒手套。

李轩还专门揣了一把手枪在身上——法医出现场带枪，当时在局里是破天荒头一次。

在李轩的想象中，这种存放尸体的场所多半是在偏僻的角落，像那些黄河浮尸报道中的图片一样，尸体一字排开躺在平房的地上。

但拐到一段凹凸不平的碎石土路走了十几分钟后,李轩却看到了一个不大不小的厂房,就在离入海口不远的林地后面,周边没有任何居住的痕迹。

砖墙围绕,铁皮屋顶。

李轩和其他 3 个同事认真地检查了手枪和装备,两个外侦人员先下了车,步行慢慢靠近。李轩和另外一个同事则缓缓开车向前靠近。

在他们的情报里,"尸体黑市"平时只有一个守门大叔。

厂房的围墙很高,两扇生锈的大铁门紧闭着,有一个简陋的门卫室在厂房门口,远远看着和普通工厂没什么区别,只是走得越近,越能闻到一股明显的腐败臭味。

李轩和车里的兄弟相互打量了下对方,确定彼此身上没有暴露身份的物品,尤其是警裤、警用皮带、警鞋之类扎眼的东西,才下了车。

四人走了过去。

门卫室关着门窗,隔着窗朝里望,一个 50 多岁的大叔赤着上身,吹着风扇,正拿手机看电视剧。

砰砰,同事拍了拍窗——

"王哥介绍过来的,买条'咸鱼'。"

出发前李轩他们和王成富对过黑话,这些人把尸体叫"咸鱼"。

"哪个王哥?"听到陌生的口音,大叔警惕地转头打量李轩两人。

"广州的王成富,王哥。"同事递过去一支烟,"前几天他不是才来过吗,就他介绍过来的。"

来之前,队里让王成富联系了"尸体黑市"的"何老板",

装作再次"买货"。或许是有熟人介绍，又或者是那个"何老板"生意做得轻车熟路，对方没一点怀疑，说好一手交钱一手交货。

值班大叔背过身给老板打电话核实，随后不耐烦地开了门卫室的门。

"你们在这儿等着，我去给你们'拿一条'。"大叔从抽屉里摸出了一串钥匙。

"我们想跟进去看看，行吧？"李轩赶紧上前两步，将那包只抽了几支的好烟塞给了大叔。

值班大叔在门边换了双水靴，打开了厂门上的大挂锁，说："不怕吓着就来吧。"

待李轩他们一行人都进了大门，大叔又将厂门从里面插上了。

李轩打量周围，厂房围墙内有一小片空地，平整的水泥地被太阳晒得滚烫。刚才的气味更加明显刺鼻了，难怪门卫室设在大门外，这么热的天也一直关着门窗。

走到那个外观普通的厂房门口，值班大叔刚打开锁，推开门，李轩一行人就愣在门口，动不了了。

作为法医，李轩对尸体已经非常熟悉，但是眼前的景象还是远远超出了他的想象——

虽然开了灯，厂房内的光线依然昏暗，一个个大约长 2 米、宽 3 米、高 40 厘米的水泥隔间仿佛是放大的豆腐格子，而那些被称为"咸鱼"的尸体，就与一堆冰块一起，躺在这些大隔间里，像超市冰鲜台上的鱼。

有些尸体已高度腐败，散发出独有的难闻气味，苍蝇在上面乱飞。

厂房的角落里，一个大型的制冰机正发出轰隆隆的噪音。

这里就像一个大仓库，尸体就像是货物一样，静静地漂浮在冰水混合物中，慢慢地腐败，慢慢散发恶臭，直到有人将他们买走。

值班大叔手握一支长柄叉子，触碰隔间里的尸体，那些半漂浮在水里的大冰块与尸体被搅动，无声地碰撞着。

阴暗的环境，腐败的臭尸，制冰机的轰隆声，让本就坐了几小时车才到这里的李轩感到一阵难忍的恶心，这个老法医不想再多待一分钟。

李轩和同事对了一个眼神，对方只有一个人，虽然李轩不算健壮，但是两个人足够对付这个50多岁的大叔了。

两人默契地加快脚步，同事一个绊腿，李轩疾步上前，两人合力把大叔摁倒，将他双手拧到身后。

"干啥呢？干啥呢？"值班大叔立即大声嚷嚷起来，他显然没有料到会出现这样的情况。同事立马掏出手铐把人拷住，往门卫室方向拖。

另外两个同事也想过来帮忙，但他们都只是在车间门口远远打望了一眼，就马上退了出来。

整整一车间的尸体，都从哪儿来？又流向了哪里？李轩不敢细想，只觉得头皮发麻。


对门卫大叔的审讯很顺利，在他言语中，除了充满臭味，他的工作与普通门卫竟没什么区别。

原来，这里是几条大河的入海口，每年夏天都有上游的水浮尸漂过来，这当中自杀者居多，尸体就搁浅在海滩边，多的时候一天发现三四具毫不奇怪。一个夏天有几十具，甚至上百具尸体被从水里捞上来,却很少有人来认领。

尸体很多早已腐败,本地殡仪馆的冰柜根本没法存放如此巨量的尸体,也不能把尸体放在冰柜外边发臭。

死者无处可收殓,殡仪馆多次找过相关单位,都无法解决这个矛盾。

这时,一个本地姓何的混混发现了"商机"。

当地的老人信奉落叶归根,入土为安,大多希望死后大操大办,风光土葬。但是随着全国推行火葬,市里关于尸体火化的规定越来越严,尸体必须火化之后才能办理相关死亡证明。

那些想土葬的本地人开始打起歪主意。

他们偷偷将海边的无名尸装棺,再送去殡仪馆,说是自己的亲人,以取得火化证明,而在此之前,他们早已将自己真正的亲人土葬。

何老板渐渐把这个"民俗"做成生意。他收买了当地民政局的工作人员,又和殡仪馆谈好价钱,包揽下收殓、存放所有无名水浮尸和流浪汉尸体的活计,然后专门卖给那些需要尸体冒充亲人,换取火化证明的人。

有了门路,还需要人干活。他看上几个原本就是干捞尸工作的打工仔,其中就有门卫王大叔。

王大叔20多年前就在当地打工,他胆子大,不怕脏,以前就干过帮人捞尸的活计。一次偶遇何老板,何老板开出高薪,他便自告奋勇来存尸房守门。

王大叔说,最开始他们还怕人怀疑,做做样子,在殡仪馆相对空闲的时候送一些尸体去火化。但是慢慢地,他们发现即便自己不送尸体去殡仪馆也没人来过问。于是,一个在当地几乎半公开的"尸体黑市"形成了,在这个产业链上流动的是一个个漂浮在水里或是倒毙路边的尸体。他们生前也可能是某个人、某个家庭最爱的人，死后随河流或辗转被送到"尸体黑市"，等待被买走，满足买者的各种需求。

在门卫大叔的桌子抽屉里，有一本记录着"尸体黑市"交易记录的硬皮笔记本。上面清楚地写着几月几日，收到从哪里送来的一具尸体，有的文字上还有一道划掉的横线。

每一道横线都表示卖掉的一具尸体。

至于卖掉的是不是标注的那一具，没人知道。

在"尸体黑市"里，李轩只看到十来具尸体，而薄薄的本子上足有上百具尸体的线索。也就是说，仅仅这一年他们已经卖出去近百具尸体了，而更早时候被卖掉的尸体去了哪里，已经无从查起。

他们的前世今生，他们的家人是否仍在寻找他们，无人关心。


据王成富交代，他就想逃个债，至于保险，能赔给妻儿最好，不能给也就算了，他暗示过老婆自己会跑路。

难怪他老婆始终不肯去辨认车辆和尸体。

一年前，王成富在一次酒局上听说 S 市有这么一个"尸体黑市"，眼看债务快要到期，多年受港剧熏陶的他想到一计：假死脱身。

"电影里不都是这么演的吗，一把火烧了，谁也认不出来。车也是早就抵押出去的，我也开不了几天了。"

似乎把尸体丢进车里一烧，警察就束手无策，案子也就一了百了。

王成富打听到了"尸体黑市"何老板的电话，他在电话里强调要一具男尸，但不敢明说自己是买来伪造死亡现场的。

何老板交代给门卫大叔时，虽然简单提了一句要男尸，但对门卫大叔来说，尸体烧出来都是灰，性别没那么讲究。他随手拉出一具短发尸体就装进了裹尸袋，根本没细看是男是女。

至于驱车几百千米去取尸的王成富，光是后备厢里那股味儿已经让他一路上心神不宁了，哪有胆子"验货"，找好合适路段赶紧伪造撞车现场，泼了汽油点了火就逃了，连裹尸袋的拉链都没有打开过，根本不知道里面装着的是男是女。

而那具已被烧得焦煳的女尸，全因为这一场乌龙被送到这个阴冷肮脏的"尸体黑市"，又被卖掉，最后到了一个法医的解剖台上才得以"说"出，她是谁。

后面的侦办很顺利。王成富因涉嫌骗保和侮辱毁坏尸体被送上法庭，买卖尸体的何老板与王大叔也被逮捕，提供便利的民政局和殡仪馆相关人等都被查处惩办。

抓到人以后，警察特地去了女孩杨晓梅所在的城市，调取了沿途的录像。在录像里，我们确定了女孩是独自一人走向了江边，也在她的QQ空间上发现了遗言。

硅藻实验是判断死者是否为溺亡的一个关键性指标，如果死者是在生前入水，硅藻就可以通过肺脏进入血液循环，散播到全身。也就是说，溺死者的内脏组织中可以检出硅藻，尤其是肺组织中有大量硅藻是生前溺水的重要指标之一。我们把尸体的内部脏器送检去做了硅藻实验，最终女孩的死因被认定为溺水死亡。

她那具被烧焦的尸体，终于得以被火化成骨灰，由她的父母带回了老家，安葬在墓园里。

听师兄李轩说到这儿，我很好奇女孩的父母当时有什么表现。

"那是一对安静的父母，他们同平常的死者家属一样，悲痛但平静地接受了自己亲人逝去的信息。"李轩的回答我至今难忘。

对买卖尸体的何老板，还有烧毁尸体的王成富，他们甚至没有表露出格外的怨恨。

"不是他们，说不定还没有那么容易找回来尸体呢，只是给你们添麻烦了。"

这句话，李轩听过很多遍，但没有一次比这次更震撼。

对那对父母来说，女孩的死成了事实，只有她的尸骨找到了，才算安息了，回家了。

可是，"尸体黑市"里剩下的那些尸体呢？

他们就在那样一个没人注意的角落，被当作一个个待售的货物，一旦被买走，就再也找不到下落，他们的亲人好友也永远失去了找回他们的可能。

之前没有任何人关注这些尸体，现在李轩觉得，自己站在这里，这就是自己的责任。没人在乎，他这个"法医"在乎。

他将黑市里留存的尸体重新检验、拍照、解剖，提取DNA样本入库，期望他们的家人在将来的某一天能够把他们认领回家。

"但之前上百具尸体就这样没了。"李轩讲完了整个案子，望着远处的暮色，深深地叹了口气。

我特别理解李轩的心情，因为就在不久前，我偶然在网上看到一个帖子，一个男孩在找他的前女友，找了整整 8 年。

女孩失踪前已经和他分手，但有一天却特意找到他，将存有5000元钱的银行卡和密码都给了他，让他有机会转交给她的父母。

虽然是前男友，但转交银行卡这件事从头到尾都透着蹊跷。果然没过两天，他再也联系不上自己的前女友了。

他找过女孩的现男友，只得到一堆相互矛盾的搪塞之词。

他报了案，但生不见人死不见尸。

整整8年，一个大活人不明不白地消失了。他和女友父母多次到广东这边寻找女孩，始终没有找到女孩下落。到后来，男孩只剩下一定要找到女孩的执念。

他在帖子中写道："前女友一家人没有精力和财力去折腾，只好看着一个亲人就这么消失。"

我能感受到他的痛苦。恰好，帖子里女孩所在的城市就是我临市，我联系到当地的同行朋友，再次将女孩父母的血样进行了DNA比对，最终发现女孩早在8年前就意外死亡，浮尸江面。

最后，他们只能在当地警方那里看一看女孩的遗照，没有寻回骨灰。可他在最后一次发帖中写道："发自诚心地感谢那位好法医"。

自始至终我都没有见过这位网友，但在后来的留言回复里，我发现，关于女孩生死的一个确切信息，让男孩和女孩的父母终于有机会放下这一切。

在既往的法医岁月里，我和李轩都经手过无数的水浮尸、白骨尸、无名尸，那些尸体由我们一具具登记、检验、提取DNA，然后被火化。

也许这些尸体中，大多数过很多年都没人认领，只会被集体埋到殡仪馆旁边的山上。但每年，我还是坚持接待寻找亲人尸体的报案人。我亲眼见过放了十几年的尸体，最后等到了他的家人。

家人们和我见面、看自己亲人的照片、核对 DNA、确定死因，最终领回一张薄薄的"死亡证明"。但就是那张薄薄的纸，可以解开一个家庭的心结，可以让那些活着的人继续他们的生活。

那是一份沉甸甸的"交代"。

我不知道我还会见证多少生离死别，不知道有多少尸体依然无法被家属寻回，但是我想，我每次多做一点，也许就能多帮到逝去的人一点，也许就可以告慰多一个生者。

我们是法医，我们要为那些无辜的涉案尸体发声，找到真凶。我们也要为那些无名无声的尸体竭尽全力，找回尊重和回家的路。

# 09

## 天堂口

案发时间：2007年夏

**案情摘要**：三宝大街附近废弃楼房中发现一具男性尸体。

**死　　者**：？

**尸体检验分析**：

尸体赤裸，身旁有一条带有明显污迹的四角内裤、一双人字拖。尸体高度腐败，头部见黑色血污，头发间隙伤口密布，皮肉间见白色蛆虫。生殖器被割。

2007年夏天的一个傍晚，距离本地著名的三宝大街不到300米的一栋废弃小楼里，我绕了很多圈，寻找一个男人的生殖器。

混凝土框架浇筑的楼体已完工多年，门和窗户却还是光秃秃的窟窿。显然，它被废弃在这里很久了。

阳光努力从废楼的一面探进来，我一点点朝地板正中靠近——那里躺着个人，赤条条的。

脚尖不可避免地触到渗出的黑色尸水，鞋底沾了一只只肆意爬行的蛆虫。四面空荡荡的。人突然被抛到硕大、空旷的场地里，感受反而一下变得细微具体：微弱的空气裹着热浪一下下浮动，呼出的气、说出口的话撞上破烂的水泥墙壁，再被弹回来。

两层的废弃小楼里，只有我们几个技术警察进进出出。

死者是男性，被发现时全身赤裸。这栋盛夏时节阳光也很难进入的废楼，透出诡异的冷。

他一定在这里躺了很久，周身已经高度腐败，头部被黑色的血污浸润，头发间隙里伤口纵横交错，向两边豁开的黑色皮肉间蠕动着白色蛆虫。身下垫的一层纸皮被尸水完全浸透，看不出周围到底有没有喷洒的血迹。

尸体旁没有上衣也没有裤子，只有一条明显带着污迹的四角内裤和一双人字拖。这些衣物上都没有血迹。死者被袭击前应该就是躺在地上的状态，没有任何反抗。

让我的眼睛无法忽略、并且在触及一瞬就产生"切身之痛"应激反应的是——

他的生殖器被割掉了。

他赤裸的下身原本应该是男性特征的地方，有一个巨大的凹陷创面，以至于我仅一眼就判断出，那绝对不是老鼠或是蛆虫啃食的结果。

我记不清已经经手过多少个命案现场，但是被杀害，还被割掉生殖器的，这绝对是第一次。

对一个男人来说，这个举动够狠、也够毒。

什么样的恨会让人对一个男人做出这样剥夺尊严的事？

我们里里外外转悠了半天，没有指纹，提取不到有价值的足迹，被割掉的生殖器也找不到。只在隔壁房间的一件旧衣服里找到了一张脏兮兮的身份证：罗洪，45岁，贵州人。

天色渐暗，废楼里，我的眼前已经浑浊一片。出来我才注意到，只要再转过一排楼，就是三宝大街了。

三宝大街上的宵夜档已经陆陆续续开始营业了，远远就能听到档口里大声播放的流行音乐和嘈杂热闹的人声。那里与我身后耸立在黑暗中的破败小楼不过一街之隔，却天渊之别。

这个被割掉生殖器又被遗忘在废弃小楼里的男人，生前来自"天堂"，还是"地狱"？

在我眼里，三宝大街一直是"人鬼杂处"的地界。

上午整条街又空又静，几乎没有店铺开门，但随着太阳的高度越低，街上涌动的人流越密，穿梭其间的不乏一些穿着大裤衩、趿拉着拖鞋的隐形富人。

夜幕降临，霓虹灯下的阴影里，真正的"饿鬼""穷鬼""盲流鬼"从黑网吧的后巷、跨河大桥的桥洞、小公园的公厕朝三宝大街涌来。他们在垃圾桶附近徘徊，在每个路过的人身边纠缠、逗留，讨一点零钱、半瓶水，或者一份吃剩的饭菜。

喧嚣过后，这里也是治安最差的地方。

三宝大街旁的厂区聚集了超10万的外地打工者，里面曾有坑蒙拐骗杀人放火，有"亡命鬼"，也有被"亡命鬼"追的人。

此前局里连续几个月突击清查，抓了不少人，也赶走了一大批灰色产业。但是，就像猫鼠游戏永无终结一样，这里依然繁华，也有繁华背后的阴影。

命案现场发现的身份证很快就被证实不属于那个被割掉生殖器的男人。那个叫罗洪的男人在贵州活得好好的，这两年根本没出来打工。

尸体身份未明、高度腐败，案发现场废弃多时，附近没有监控，根本无从查起。

案件讨论会上，几乎所有人都认为这案子多半是冲着"性"来的。

有人提出，会不会是抛尸？毕竟三宝大街附近最不缺的就是各种发廊和做皮肉生意的。一个嫖客被整死，再丢出去，自然没有衣服没有身份。

不然就是皮条客和失足女之间的恩怨情仇。杀人不够，割掉生殖器才能泄恨。

现场没找到的生殖器也有了更合理的解释：要么凶手带走了它，要么废楼根本不是第一现场。

不过，我熟悉这里，我心里的猜测更倾向于死者是夜晚出没三宝大街的"鬼"———一个流浪汉。

尸检的时候，我注意到死者的手指和脚趾指甲都又黑又长。如果是流浪汉，夏天只穿一条内裤、一双拖鞋就没什么奇怪的。

但这很难和"性"扯上关系，毕竟流浪汉们整天邋里邋遢，温饱都成问题。

另外，这个举动本身确实反常，普通人平时在街上迎面碰见他们都要绕道，谁会专门去割一个流浪汉的生殖器？

我想起之前在内网看过的一个案子：有个阳痿患者连续杀害好几个流浪汉，割走他们的生殖器做"药引子"。难道我们这里也出现了变态杀手？

侦查方向无法确定，局长决定分两头走：技术人员继续发掘现场和死者身上的线索，外侦人员翻查自己辖区有没有类似的案子，联系附近的公安局看能否和之前的案子串并侦查。

如果死者是流浪汉，他能够接触的人不论男女，生活层次都不会太高，胜哥决定从案发现场附近开始，慢慢向外辐射，挨家挨户地问。他把排查重点放在三宝大街附近最底层的站街女、流浪汉和打临时工的人身上。

是"人"是"鬼"，都得有个名字吧。

早上睡觉，下午出动，凌晨一两点在三宝大街上转悠；桥底、小公园、黑网吧、快餐店，还有24小时开放的自助取款厅，几乎随处可睡——为了钻进他们的"圈子"，胜哥把自己活脱"变身"成了流浪汉。

那两年整治得很严格，打架斗殴的流氓地痞都陆陆续续被关进了看守所，流浪汉有的被送回了老家，有的被精神病院收治，省里新开的救助站也收容了不少。胜哥在大街上晃了几天，愣是没看见一个流浪汉。

胜哥接着巡查黑网吧、快餐店，那里出没的"三无人员"能够维持基本的清洁，只有靠近了才能闻到身上衣服反复出汗、发酵的酸臭味，还有熏死人的口气。

桥底和公园偏僻角落的流浪汉生活条件最差，胜哥在他们囤积着的各种充斥着霉味或汗臭味的衣物、包装袋、纸皮杂物间行走。旁边往往还有放馊了的食物残渣，大大小小的塑料瓶里装着可疑的、来历不明的浑浊液体。

每次在这些地方蹲完人，胜哥身上的气味就和对方一样了。

一天，胜哥在三宝大街旁的立交桥下碰到两个流浪汉，一聊，发现两人都是那种无法对话的精神疾病患者，最后只能打电话给民政局，让他们把人送去精神病院。

我以前巡逻时也遇到过这些人，他们几乎没有一个会好好配合检查。但胜哥慢慢找到了突破他们心理防线的好方法：两支烟或者一瓶水，最多再加上一盒饼干，只要不是扒他们自己的老底，他们什么都愿意说。

就这样在三宝大街上"混"了5天，胜哥终于从一个捡瓶子的流浪汉嘴里得到了一个信息——死者可能是"阿虎"。

这个捡塑料瓶的人自称王军，年纪看起来也就三十几岁，他说自己五六年前丢了身份证，就开始在这边流浪。王军不识字，老家在哪也说不清，想买车票回家，但除了没钱，没人带着也不知道怎么回。

他认出"阿虎"的原因很简单，都在这片生活，两人一起去附近工地"捡过"几次东西。

这些天他听说废楼里死了一个人，而最近圈子里消失的人就有阿虎。虽然脸认不真切，但死者个子和阿虎看上去差不多。

只有一个绰号，没有名字，他们之间也根本不会告诉对方自己的名字。

王军最后还给胜哥指了一条路：三宝大街附近收废品的老李。去他那儿卖废品的流浪汉很多，他多少都有点印象。

但只凭一张肿胀发黑的面部照片，老李也拿不准。

老李收废品确实和流浪汉常打交道。不过既然是流浪汉，几天，甚至几个月看不到人也是很正常的。流浪到别的地方去了，因为意外或是疾病，悄无声息地死了都有可能。

胜哥提醒，这个可能是"阿虎"，老李还是摇头，模棱两可地补充一句："不过确实有段时间没有看见过阿虎。"

问阿虎还有什么熟人，老李想了很久说，有个叫阿勇的人可能知道，"但阿勇最近也没有来我这儿卖过东西"。

胜哥被一个又一个绰号搞得头昏脑涨，阿虎的身份没查清楚，现在又多了一个阿勇，而且老李描述的阿勇，没明显特征，没照片，更没有联系方式。

这是一群被抹去了身份、切断了联系、游离在社会最底层最边缘的人，虽然有自己的小圈子，但每个人说到底也只是孤立的个体，彼此不了解，外人也根本进不去。

要查这些人，只能靠最老的办法：从一个人排查到另一个人，直到摸清楚他周边所有的人。

那些日子，胜哥开始不断往所里领"三无人员"。只是，除了给这些人取指纹、采集 DNA，看有没有案底，我们并不能做什么。

这个丢掉生殖器的杀人案也丢掉了答案。一个不明身份的人被另一个不明身份的人杀害，牵涉两条人命的案子居然没人报警，也没人在乎。不过既然出了命案，别人可以不管，我们警察不成。

我们又去了一次那栋废楼，胜哥还一口气蹲守了几天。虽然里面好几间房都有过"生活痕迹"，但这几天没有见到一个流浪汉出入那里。

显然，这些习惯夜里活动的人知道里面出了事，短时间内都不会有人在这里落脚。

附近的住户倒是说，以前看见有几个流浪汉就在那栋废楼出没，但没人能准确说出他们的特征。

从这些情况来看，大家开始相信我的判断：死者很可能是一个流浪汉。

胜哥他们清查时，我再一次拿着档案去找队长汇报。队长翻了翻照片，最后指着照片上尸体的手问我："指纹打了没有？"

我脑子嗡了一声。

当时我刚刚开始独立勘查现场，很多事处理得还不够熟练。以往腐败尸体很少能采到指纹，因为手指都肿胀得很厉害。那天解剖完，新来的技术员尝试了两三次都失败了，就断言像死者那样的手指头根本捺不出指纹。

我当时没有多想,现在看来,那可能是一个大大的疏忽!

我几乎是小跑着逃离了队长的办公室,拉着队里资历最老的技术员老许赶去了殡仪馆。

从冰柜里拉出来的那具尸体,手指上布满了大大小小的腐败水泡。解冻以后,虽然有些水泡瘪了,但剩余的水泡依然能把整个手的皮肤顶起来,比正常人的大了好几圈。

之前解剖时冲洗过尸体,这回是二次解冻,那些腐败的皮肤几乎一碰就要碎。我和老许小心地揪着毛巾一个角,把尸体的手指头擦干净,又用吸水纸把上面的水分蘸干,反复试了几次,还是没有办法捺印出合格的指纹。

最后还是老许提醒我,水浮尸可以脱下"人皮手套"用来按指纹,我们也可以把手指的皮肤全剥下来试试。

我立马动手,先是划开中间指节的皮肤,放掉手指上腐败水泡中的尸水,然后一手镊子、一手小刀,用手术刀最尖端或钝一点的刀尖背侧一点一点或挑、或划,慢慢把10个指头的皮肤都剥了下来。

剥下来之后,用水慢慢冲洗,再用酒精浸泡,洗掉多余的油脂,接着把皮肤放到一个个小瓶子里,用福尔马林固定。

第二天,终于到了见分晓的时候,我们把那些指头的皮肤晾干后,依次粘在橡胶指套上,然后沾上油墨,开始小心翼翼地在白纸上按指纹。

一个个漂亮的指纹依次显现。

很快,我们就在指纹库里比对出了这具尸体的主人——一个前科人员,刘彪。1个月前,他因为盗窃工地钢筋进过派出所,治安拘留15天。

我们和死者间的距离一下子拉近到一个月前。

案件系统里长长的列表显示，死者刘彪生前除了在看守所和监狱的时间外，几乎一直都在作案，完全靠小偷小摸过日子，就是一个流浪的"三无人员"。

虽说他们这样的人和谁发生冲突都不奇怪，但这命案显然不同于日常街头的争吵打架，打破了头还割了生殖器，明显就是冲着人来的，必须得从他身边的圈子查起。

会不会是刘彪偷东西，惹到了什么不该惹的人？凶手会不会就是消失的阿勇？刘彪那一沓厚厚的前科档案成了关键。

我和胜哥都没有想到的是，我们在刘彪生前最近的一份问话笔录里，居然看到了一个熟悉的名字：吴军旗。

那一刻我以为自己穿越了。

2年前，胜哥不是亲手把这个吴军旗送进死牢了吗？

吴军旗是胜哥从警以后抓的第一个命案凶手，胜哥印象很深，说起这人最先想起的就是他身上的味儿——"不是汗臭，像食物馊了。"

按理说，为防止犯人跳车逃跑，押解犯人的时候押运车应该关闭车窗，但因为大家受不了他身上的味儿，吴军旗成了第一个被开着车窗押运的犯人。人送到审讯室后，胜哥他们甚至把车送去了洗车店。

那是2年前，在派出所留置室，我第一次见到这个叫吴军旗的流浪汉。大冬天，他身上混穿着各种季节的衣服，沉默地坐在栅栏另一侧的铁椅子上。

我戴着手套，将他里三层外三层的衣服一件件扒了下来：

衣领漆黑，袖口泛着油光，满是污渍却没有一处血迹。看着他站在墙角瑟瑟发抖，我找来两件旧衣服给他换上。

当时我对他最深的印象就一个字：瘦。干瘪的胳膊和腿上几乎看不到肌肉的存在，皮肤就像一层薄薄的纱布，裹住凸翘的骨头，上面散布着新旧不一的结痂伤痕。

我甚至产生了疑虑：这么瘦弱的人，真的有足够的力气搬起石头砸扁别人脑袋吗？

吴军旗那次杀了人，而且杀的就是流浪汉。

那时候，三宝大街上无家可归的流浪汉遍地都是。辖区里不光小偷多，到处都能撞见不要命的混混。

闹得最凶的时候，两个小年轻提着自制的长柄大刀，把一个"大佬"当街砍死，半条街都是追砍留下的大片血迹，三宝大街牌坊底下的柱子上还有血手印。

这种情况下，"一个没有家属的流浪汉死了"的案子，在刑警队根本排不上号，外侦工作最后落在了我和胜哥手里。当时的我也只是个跟班小法医，因为工作年限不够，还没申领"鉴定人资格证"，没有鉴定资格，正式的法医文书上甚至都看不到我的名字。

这是我们和吴军旗第一次交手。而就在这起杀人案中，我们竟然已经和三宝大街边上开废品收购站的老李打过交道。

流浪汉们捡了什么东西都想着换钱，老李的废品回收站是他们必去的地方，久而久之也成了"流浪汉圈子"消息中转的宝地。

那一次，据老李说，就在我们摸排到废品收购站的几天前，吴军旗就来找过他，不过不是来卖东西的，而是来找东西的。

"有没有看到一辆三轮车?"

我清晰地记得,两年前那起案件里,"买车"是吴军旗流浪汉生涯的高光时刻。说起来这里面还有老李的功劳。

老李是广西人,矮矮胖胖,看起来更像个厨师。吴军旗每次去都会盯着老板看一会儿,满眼羡慕。在他看来,胖是因为吃得饱,是富有的表现。

有一次,吴军旗背着一蛇皮袋废品去老李的回收站,刚好另一个卖废品的踩着三轮车来了,老李丢下他,先去接待有三轮车的"大客户"。

吴军旗等了很久,老李才漫不经心地收了他的废品,还劝他下次多捡点东西再来:"几块钱的东西,懒得跑来跑去。"

吴军旗没说什么。直到过后的某天,他推着一辆破旧的三轮车来了。

老李在旁一脸惊奇,笑着问吴军旗车是不是偷来的,卖不卖,边说还伸手想去拍拍三轮车车头,吴军旗赶忙拦住了对方,说:"不卖!这是我300块买来的。"

吴军旗绷着脸,瞪着眼睛和老李强调,这不是偷的,是他花了大半年积蓄从三宝大街修车店何师傅那儿买的。

虽然他不会骑三轮车,只能推着车从街头走到巷尾,和以往一样翻垃圾桶捡矿泉水瓶和纸皮。但因为有了车,能捡的东西比以前多了,有些以前搬不远挪不动的东西,现在都可以放在三轮车上,比如工地上的一捆电线,公共设施上的一块铁皮。

在吴军旗的意识里,只要能搬上车拉走的,都是"没主"的东西。

这辆破烂的三轮车成了吴军旗的心爱之物,他和车几乎形影不离,买来的头一周,他每晚都睡在三轮车放废品的拖斗里。

可这个宝贝,却在他眼皮底下被"偷"了。

一天夜里,吴军旗钻进麻袋睡觉。麻袋是他前两天的收获,像睡袋一样刚好能裹住蜷曲的身体。

凌晨的立交桥依然有不少货车经过,晃动的灯光,重车压过桥面的震颤,还有腹中的饥饿感都让吴军旗难以沉入最深的梦里。

半梦半醒中,他听见"吱呀"一声——昏暗的路灯下,有人正在推他那辆没有上锁的三轮车!

他刚想出声制止,但是马上认出了来人的样子,他高大、健壮,是另一个住在附近的流浪汉,两人不止一次在路边打过照面,对方比自己力气大很多,自己肯定打不过。

吴军旗像蜗牛一样缩在麻袋中装睡,咬着牙,默不作声。他眼睁睁看着对方把手伸向自己的三轮车,后悔买车之后没再攒钱买锁。

正面冲突会吃亏,那就不冲突;最宝贝的东西被掠夺,守不住就放弃——没有什么比活下去更重要,这大概就是流浪汉的底层生活准则。

吴军旗攥紧了拳头,看着对方将他宝贝的三轮车越推越远。

两天之后,我们就在三宝大街一个废弃的出租屋里,看到了那具高大、健壮却被敲碎了脑袋的尸体。

现在我们的问题是,两年前就该被送进死牢的杀人犯吴军旗，怎么会在一个月前和刘彪一起去工地偷钢筋呢？而且又成了新一起杀人案的头号嫌犯？被害人都是流浪汉，都是在睡觉时被人袭击，而且都是头部受创。

这一次，为了找到吴军旗，胜哥又逛了一周三宝大街，蹲了两天废品回收站，终于在案发地隔壁镇发现了这个"旧相识"。

那天傍晚时分，天还没黑，吴军旗穿着一件灰色T恤和一条半新不旧的牛仔裤，正靠在公园躺椅上睡觉。胜哥和同事小心靠了上去，然后猛地按住了他，上了手铐。

除了一开始下意识抵抗之外，吴军旗一看清是胜哥，就再没反抗。他还记得胜哥。

胜哥当然也记得他。当年抓吴军旗时，对方身上脏得像是一年没洗过澡没换过衣服，但这次他身上干干净净的，单从外表看，除了头发长点乱点，就是普通人的样子。

不过等胜哥在审讯室递给吴军旗一份盒饭后，他发现这个流浪汉还保留着之前的吃饭习惯：先用筷子把上面的青菜和肉扒拉到饭盒盖上，再把饭盒里的饭从最底下翻到最上面，然后用鼻子凑近了闻闻，小心翼翼地尝一口，最后大口大口把整个盒饭吃得一粒米不剩。

"平时吃的东西很多都烂了，必须得闻着没坏，吃了才不会肚子疼。"当年第一次抓住吴军旗时，他就说过这样的话。

两年了，这个人看上去似乎过得好了一些，但一举一动还是老样子。一餐安稳、热乎的饭，对他来说还是那么重要。

两年前，还是"新人"的胜哥就是靠一碗泡面、一部电影，10天拿下了吴军旗的口供。

当年吴军旗被抓后无比戒备，一口浓重的贵州方言，只会念叨自己的名字，我们审了24小时没有一点儿进展。完全听不懂吴军旗贵州方言的胜哥，在审讯期间硬是找贵州同事恶补了一周的方言。

慢慢地，胜哥能听明白吴军旗到底在说什么了。

小时候派出所登记人口信息时，村里人不知道他到底是"俊奇"还是"军奇"，后来还是村主任拍板叫"军旗"，说简单又好记。

他最羡慕村主任家的狗，因为它的食盆每天都是满的，"每天都能吃饱"。

关于童年，他只能记住食物：刘家大婶的面条、村主任家的馒头、田里的番薯和玉米，他像是在野外生存的小兽一样，每天的生活就是为了找一口吃的。

吴军旗模糊地记得，大约在自己四五岁时父亲因病去世，某个秋天的早上，母亲出门后就再也没有回来，他很小就开始了在饥饿中挣扎求生的流浪生涯。说是吃百家饭长大，其实对一个孩子来说，那是种死亡的压力每时每刻笼罩在头顶的恐惧。

2002年，同村的人带着已经长大成人的吴军旗到广东工地打工。虽然在建筑工地打工很苦，但那段时间他觉得格外开心，因为自己终于可以吃饱饭，还能赚到钱。

那年春节，同村的老乡要回老家，让他跟着回去，吴军旗拒绝了。他觉得回老家没得吃，自己要待在这边等老乡回来。

但过了年，老乡没有回来，工地也结束施工，偌大的广州，只剩吴军旗一个人了。

他身上只剩下几百元钱，没有身份证，没有住所。因为不识字，再加上浓重的地方口音，甚至找不到人交流。他试过在街头打短工，帮人搬东西，但是打工的人里一样分帮结派，他根本抢不到活干。

在街头徘徊了几天，他想买张火车票回家，才发现自己根本不懂怎么回去。有人凑上来主动帮他，结果对方是个票贩子，用假车票骗走了他 200 元钱。

那 200 元钱彻底截断了吴军旗回家的路。他游荡到三宝大街，那里有最繁华的美食街，每天霓虹灯亮起之后，到处都是散发着香气和热气的烧烤摊、大排档。

吃剩的盒饭、喝了一半的饮料成了他主要的食物来源，在钢筋混凝土的丛林里，他渐渐熟悉了在这里活下去的方法：上午街头的行人很少，要到下午去翻街上的垃圾桶才有吃的。白天捡些瓶子罐子去卖，然后一直晃到凌晨，等大多数宵夜档关门后去觅食，再躲回附近的桥底睡觉。

花了整整一周，胜哥才从他断断续续的讲述中，了解了这个流浪汉的全部生活。

从被动询问到主动诉说，胜哥隐隐觉得胜利在望，决定打个温情牌。他给吴军旗放了一部电影：《妈妈再爱我一次》。风雨交加的夜晚，小孩的哭声、母子相认的画面，配上那首"世上只有妈妈好"，电影放完，吴军旗的眼睛泛起了泪光。

他一边抹眼泪，一边跟胜哥要泡面吃。

就是这一口热乎的泡面，让吴军旗把杀人经过全交代了。

2005 年春天，吴军旗流落街头的第四个年头。连续几天找不到吃的后，他去附近工地偷了一捆电线。

那次卖了很多钱。吴军旗记得很清楚，废品回收站的老李给了他一张红票，100元。当天晚上，吴军旗到三宝大街街头的炒粉店，要了一个鸡蛋炒河粉。

老板看了他一眼，在门外放了一把凳子。

吴军旗也不在意。他从来没觉得店里店外有什么不一样，只要炒粉给的够多就行，只要店里几元钱一斤的茶梗泡的茶水够喝就好。

因为在繁华的三宝大街上，只有这个角落，他能吃上口热乎的。

从那之后，只要身上的钱够，吴军旗就会去买一份炒粉，在店外的街边吃完。偶尔天热的时候还会来一瓶啤酒，就是最奢侈的享受了。

那年夏天吴军旗只有一个目标：攒钱买三轮车。

为了实现这个目标，他几个月都舍不得去一趟炒粉店，每天拼了命捡废品，甚至和一个比他高大许多的流浪汉吵了起来。

对方仗着身强力壮，打了吴军旗一顿，他没敢吭声默默走开。正巧一个戴着眼镜、个头矮的小青年嫌弃地看了他一眼，吴军旗登时冲上去，将自己刚刚受到的委屈都发泄到了矮个小青年身上。

忍不下心中的怒火又不敢当面反抗，那就把怨恨发泄到比自己弱小的人身上——这是三宝大街教给吴军旗的生存法则。

所以车被偷了之后，吴军旗趁着偷车贼在废弃的出租屋睡觉时，搬起屋外一块石头，用尽全身力气狠狠砸向对方的脑袋。

一下、两下，直到力气耗尽。那就是他两年前杀死的第一个流浪汉。

按照吴军旗当时的说法，作为凶器的石头被丢进了河里，泡过水之后他也分不出到底是哪一块。现场的足迹也是在屋外提取到的，吴军旗就在那附近生活，留下足迹并不能说明他杀人。

更麻烦的是吴军旗认罪的口供。

吴军旗不识字，更不会写字，每份笔录都是胜哥代签，吴军旗按指纹。检察官提审时，吴军旗总是前言不搭后语，说的和胜哥的笔录对不上。

更让检察官头疼的是，一让吴军旗好好交代犯罪经过，他就耍赖要泡面。给了泡面就爽快承认，不给就不承认。

年轻的检察官一度怀疑胜哥随便抓了一个精神有问题的流浪汉来顶包。

因为成长环境、家庭背景比较特殊，加上常年不与人交流，很多流浪汉都会有一些怪异的行为：神神叨叨的自言自语，莫名其妙地与空气激烈对话，甚至搏斗。

胜哥最初接触到的吴军旗总是穿着不合时宜的衣服，叙事颠三倒四，胜哥也担心吴军旗是不是精神病人，特意给他做了精神鉴定。

鉴定结果明确显示，吴军旗没有精神疾病，只是因为所处环境，对社会有些认知障碍。但如此折腾了一年多，检察官自己都没信心了，认定胜哥提交的证据不足，撤了诉。

两年前那起命案并没有起诉成功，时间一晃来到了今年。

3个月前，吴军旗被无罪释放了。

流浪汉杀人嫌犯吴军旗又回到了他熟悉的三宝大街，和原来一样，翻垃圾、捡瓶子，没有收获时就顺手去工地上"捡"

点东西来卖。

他就像被从笼子里放出来的野兽，回归了他最熟悉的生活，继续按照自己动物的本能生存，还多了一个"杀人越多，出狱越早"的人生信条。

吴军旗在看守所时，有个同仓的老乡听出了他的口音，主动问他是因为什么事情进来的。吴军旗说自己杀了人，对方问杀了几个，他说 1 个。

吴军旗反问对方，老乡告诉他自己杀了 3 个，还说自己一定会比吴军旗早出去，"因为杀的人多"。

吴军旗对杀人、判刑这些根本没有概念，因为没受过教育又长久地脱离社会，甚至连基本的常识都很缺乏。

结果，吴军旗眼看着"杀了 3 个人"的老乡在自己到看守所一个多月后就出去了。

后来查证，那老乡不过是因为打架伤人被关进来，根本没杀过人，是说大话骗吴军旗。可吴军旗却记得死死的。

一年以后，吴军旗因为证据不足意外被释放，在他看来，反倒坐实了老乡曾告诉他的真理：杀人不算啥大事儿，多杀几个还能早点出去。

所以这一次，面对胜哥，吴军旗异常爽快地承认自己杀了人，还交代了案件细节。

凶案发生的前一天，吴军旗遇到了刘彪，对方与另外一个流浪汉说渴了想买水喝，问他"借"5 元钱。

吴军旗说自己没钱，但刘彪却笃定吴军旗身上有钱，因为前几天三人才一起去工地"捡"了点钢筋卖，每人都分了几十元钱。

吴军旗大声咒骂对方，怒火中烧的刘彪冲过去一拳将他打倒在地，两个人的拳脚都落在吴军旗身上，他不敢还手，只能护住头蜷缩在地上。

他感觉到自己嘴里满是腥甜的味道，那颗本就有些松动的大牙被打掉了。

全身上下的十几元钱都被刘彪搜走了，那对一个流浪汉来说，是致命的打击。

吴军旗决心以牙还牙，他当晚就在工地上找了一把斧头。

有利器在手，吴军旗有了信心，哪怕对方有两个人，他也觉得自己能赢。

那个晚上吴军旗没有睡觉，他揣着斧头四处转悠想找到刘彪，直到第二天中午，才在三宝大街那栋废楼的一楼看到了对方。

身怀利器，杀心自起。吴军旗走到刘彪身边，两斧头就砍死了还在睡梦中的刘彪。

至于为什么要割掉刘彪的生殖器，吴军旗讲起了一次屈辱的经历。

以前在工地打工的时候老乡带他找过失足女，由于没有经验，他根本没体会出味儿来，整个过程就结束了。那个失足女把他撵出了房间，还大声嘲笑他。

这次见刘彪半裸着睡觉，吴军旗心里满是不爽，他既妒忌对方勃起的生殖器，又觉得恶心，干脆将对方的内裤扯下来，割掉了生殖器，随手扔在了窗外。

根据吴军旗的口供，我们找到了那把作为凶器的斧头，上面检验出了刘彪的血迹，旁边的墙上还发现了一个带有刘彪血迹的血指纹。吴军旗的鞋上也留下了刘彪的血迹。

胜哥带吴军旗指认凶器时,他问胜哥,什么时候自己能再出来,他还要找到那个和刘彪一起打他的人,这样他就杀了3个人了。

胜哥一瞬哭笑不得:"你小子这次可能要坐很久很久的牢,就别惦记别人了。"

"不是杀人越多,出来得越快吗?"吴军旗对此仍深信不疑。

可能从来没有人和他说过,这世上还有"法律"这东西。

街头的鸡蛋炒河粉是无上的美味,如果再有一瓶啤酒,就是最好的日子。对他来说,活着就是整个世界。

虽然我们极力想把两起案件都成功移诉,但最终法院也只是认定了第二起杀人案。吴军旗被判了死缓。

他的反应很出乎意料,没有计较,甚至都没争辩两句,像认命似的满不在乎地说:"坐牢也不坏,至少吃得挺饱。"

在吴军旗的印象里,就属在看守所的日子吃得最饱:"每天光是等着就有饭吃,也挺好。"

胜哥问他是否想过学普通话、认几个字、学点算术,这样哪怕走街串巷收废品也比捡废品糊口要强。

吴军旗像是第一次听到这些事物一样。他说他从来没想过这些。

两年后,吴军旗的死缓改成了无期。在他服刑的日子里,我发现一些改变正在悄然发生——

城市乞讨流浪人员救助条例出台;收容所变成了救助站,那里随时有一餐热乎的饱饭、男女分开的住所、必要的医疗救助。

曾经难倒吴军旗的一张回家的车票，不再是问题。

我所在的城市专门出了一项规定：遇到流浪者要挨个采集信息，收集照片、DNA 样本、指纹，最后建库。

我曾救助过一个女孩，她因为自闭症无法与人沟通，7 岁失踪，流浪 2 年，又在救助站待了 12 年，女孩的父亲一直在找。14 年后，因为库里的 DNA 比对上了，女孩和家人成功团聚。

还有个流浪的老人被发现死在了山上，通过当年出入救助站登记的信息，我们很快查明了老人的身份，在家人找来的第一时间，告知对方老人已经走了的消息。

据我所知，全国都有类似的操作规范下发。再面对他们，我能清晰地知道该怎么做。

如果吴军旗还有机会出来看看，我想告诉他，他可以回家，也可以多想想那些他之前从来没想过的事。

那个他曾经拼了命只为活下去的世界，现在可以活得轻松一点。

# 10

## 悍匪
1992

案发时间：1994年4月

**案情摘要**：大朗工业区附近一条公路上发生枪击案，两名警察中枪，后尸体出现在东山水库。

**死　　者**：两名警察。

**尸体检验分析**：

尸体高度腐败，分别见胸口、头部两处枪伤。枪伤处不断渗血，为生前伤。

我时常觉得，那些从20世纪90年代闯过来的前辈身上，都有一股劲儿——他们发火的时候嗓门很大，不论个头身板，总是一副随时准备好比划两下的架势。

他们凶、狠，也能拼命。

那时，匪徒甚至800元就能买把枪，流窜四地，杀掉9人；而彼时，DNA检测技术、数据库、布满大街小巷的"天眼"还是天方夜谭，公安局门口的标语条幅上写着"偷警车犯法"。

一片混乱。

那个年代，狭路相逢，往往谁吼得声大，谁拳头硬，谁就活下来。

我认识几个当年的传奇人物：老潘，拿下广东省"天字第二号案"的刑警队长；他当年的搭档章法医；还有隔壁市一个年轻的侦察员，杜真。

有次我和老潘一起出差，他脱掉鞋子蜷在车后排打盹。看着老潘，我一时有点恍惚。

这个缩在座位上，身高不到1.65米、秃顶、瘦小、年过五十的老头，是当年整个刑警队里最能打、最强壮的几个人之一。

"我把自己所有的劲儿都在 90 年代用完了。"他说。

我意识到，这是独属于那个年代的故事。那样的案子，那样的人，今时今日再不会有。

那次差旅畅聊之后，再遇后辈缠着我问什么是"大案"，我都会告诉他们：这就是大案。

1994 年 4 月 3 日，毗邻南海区大朗工业区的一条繁忙公路，被警察用摩托车拦住大半。

双向车道变成了单向车道，车越堵越多，一些摩托车还在大车间见缝插针地穿行。在时间就是金钱的珠三角，车轮每多滚一圈都能给这些小老板们多点心理安慰。

围观人群密密匝匝，载着章法医和小徒弟的警车只能在很远的地方停下，他们从人堆里挤出来，探头往里看，却有点意外。

本以为现场必定一片惨象，但除了 3 个外侦同事孤零零站在路中间，整个现场只有两摊血迹。

想象中满地的玻璃碎片，燃烧爆炸的车一样没有，这哪像是个枪击现场？

章法医转身扎入人群了解情况，留自己的小徒弟去提取那两处血迹。

小徒弟刚到单位半年，需要师父章法医带着干。章法医并不是科班出身，早年在乡镇坐门诊，只在省里上过 3 个月的法医培训班。但法医是个吃经验的活，干了 20 年，年过四十的老师傅什么现场都见过，却整天笑着说要向自己这个大学生徒弟学习。

很快，小徒弟就发现自己没事可干了——现场没有伤者，更没有尸体。就这么个现场，需要两个法医来勘查吗？

小徒弟正满腹疑问的时候，章法医阴沉着脸回来了。医院和殡仪馆都没有派车来过现场，附近的医院也没有收到过枪伤病人，现场这么大的两摊血，伤者怎么会凭空消失？

"多叫两个人来一起搜索地面。"章法医戴上了手套。枪击案最关键的物证就是弹壳，人能跑，弹壳总不能长腿吧。

小徒弟很快发现了一枚弹壳，大家凑一块开玩笑，说年轻人就是眼神好。正准备收队，外侦一个兄弟突然走过来，在章法医耳边说了两句。

章法医立刻叫停了所有人手上的活，让大家再从头搜查现场，继续找弹壳。

站在一旁的小徒弟只模模糊糊偷听到几个词，"警察""54"……

那几年枪击案确实不少，小徒弟工作半年，已经出过十几次枪击现场了，但并不是每个现场都能找到弹壳，有时候实在找不到也就算了。可这次，师父完全是一副不找到弹壳绝不收队的架势。

终于，在路边的花坛里找到第二颗弹壳后，章法医才带着小徒弟急急忙忙赶回局里。

刑警队长老潘正和局长在会议室说话，见章法医他们进来也没停下，甚至没有像平时一样微笑着和他们打招呼。这可不是他平时的态度。

老潘到队里之后，除了一起并肩作战的队友，全队上下最高看的就是章法医，因为人家是知识分子，文化人。后来，章法医的大学生徒弟来了，老潘对两人更是热情，处处照顾。

老潘自己是退伍兵出身，从警十来年靠着拳头硬、能破案，前两年刚被提拔成刑警队的队长，才30岁出头，已经成了大家口中的"老潘"。

此刻，老潘那张年轻的脸绷得比谁都紧。章法医没往跟前凑，拉过老潘旁边的一张椅子，坐了下来。

现场有目击者说，当时至少开了两枪，中枪的人被抬进一辆小汽车的后备厢，拉走了。而辖区派出所所长恰好同时段反映，自己所里有两个本该在附近执勤的警察联系不上了，对讲机关了，传呼机也不回。

两声枪响，两个警察失踪，同时下落不明的，还有一支54式手枪和一支64式手枪。章法医和老潘心底都隐隐有不好的预感。

"必须把人和枪给我找到，找不到都不要睡觉！"局长摔门而出。

老潘挪到章法医旁边的椅子，接过章法医递来的物证袋，里面是现场找到的那两枚弹壳。

老潘皱着眉头看了看，虽然他打过无数次靶，开过很多枪，但是对子弹壳真没什么研究。直到章法医捏起其中一个弹壳，指着上面的痕迹说："我觉得这是制式枪支发射的。"

"怎么又是制式枪支？"老潘坐不住了。

老潘这句牢骚只有章法医能听明白。这几年，他们哥俩手上已经积了好几起涉及制式枪支的案子没破，要是放一块，刚好一只手加一个指头——死了6个人了。

无论什么时候回想起来，两年前的一切在两人脑海里都清晰得恍如昨日。

1992年9月25日，本地大发卷烟批发市场附近，一对夫妻在市场收档之后同骑一辆摩托车回家。下午6点车行至一个路口，一辆红色摩托车从他们身后风驰而至。超车的瞬间，红摩托车后座一个戴头盔的男人突然掏出一把枪。

"砰"的一声，先击中了丈夫的头，摩托车尚未倒下，匪徒又开出了第二枪，击中妻子，随后拿走了这对夫妻身上的10万元现金。

丈夫当场死亡，妻子胸部中枪，胸椎骨折，重伤瘫痪，生不如死。

这就是当时轰动一时的"大发市场抢劫杀人案"。

负责侦破此案的就是当时还未满30岁、年轻气盛的"潘队"，而当年看现场的正是章法医。案发后，他把现场的弹壳送去鉴定，确定为制式弹药，由制式枪支击发。说明凶手用的枪不是来自民间作坊，而是由正规军工厂制作。

在今天，我们很难想象1992年制式枪支曾严重流失。那时除了军警，国有企业比如矿山、矿场保卫科，也能申请配发枪支，后来有些国有企业经营不善，发不起工资，保卫科一年就会"丢"一两支枪。

当时省厅专门发了文，督促老潘他们尽快破案。但再往后的事，队里谁也不愿意提了。

现在时隔两年，又有制式枪支伤人案件，而且出事的还可能是两个警察。

章法医没再说什么，两个男人沉默着，各自想心事。

老潘把队里所有人都喊到了会议室，给每个人都配枪，连章法医和小徒弟都不例外。

"现在是特殊时期，真遇到事儿了，有枪和没枪就是生死之别，万一需要行动，都得上！"

把枪交到章法医手里的时候，老潘开玩笑："你们以前只打靶，这次说不定有机会让枪开荤了。"章法医只回了老潘两个字："痴线。"

3天后，东山水库里发现了两具尸体。出现场时，小徒弟刚换上新发的军绿色长袖警用衬衣和同色长裤，下到水库的时候被岸边的泥污蹭脏了好几处，但是他来不及心疼。

"愣着干什么。"章法医利索地脱掉鞋子，把裤腿卷上了大腿。

两具尸体都已经高度腐败，隔着手套依然能感觉到腐败尸体皮肤特有的冰冷和滑腻，棉纱口罩一点都挡不住水浮尸的臭味。一想到这两具尸体可能是自己同事，章法医心里更难受了。

两具尸体被抬上了岸，虽然面容已经无法辨识，但尸体身上穿的衣服还有带着五角星的腰带扣都表明，他们就是3天前枪击案现场失踪的两名警察。

队里十几个兄弟身着警服，在水库边围拢，所有人都屏息凝视，神情严肃。

人群的正中，章法医和小徒弟准备当场解剖自己兄弟的尸体。

小徒弟本以为会把两个牺牲兄弟的尸体拉回去，至少让解剖工作显得更正式些，但在师父和队里其他兄弟看来，早一分钟搞清楚两人的死因，找到线索，早一分钟抓到凶手才是该做的。

两个警察身上的配枪都已不翼而飞，剥开衣服，每人都有两处枪伤，一枪在胸口、一枪在头部。

突然，章法医指着其中一具尸体头上的枪伤问徒弟："这个伤口到底是生前伤还是死后伤？"

章法医觉得自己不会看错，他心底那把火已经烧起来了。他其实是知道答案的，但那一刻他讲不出来，他选择去问徒弟。

小徒弟被一堆前辈同事的冷峻目光包围着，再看看那个开在自己同事头上的黑洞——此刻，那里还在不断渗出乌黑的液体——好像也突然明白了什么。

如果是生前伤，那意味着两个警察被塞进后备厢拉到这里的时候，可能还活着——头上的窟窿就是那两个恶徒补的枪。

他一瞬感觉自己的心脏在胸口越跳越快，越跳越快，脑袋里的血管似乎都在抽搐，他什么都说不出来。那么残忍的话要怎么说，师父没有教过他。

师徒俩沉默了一会儿，章法医自己站起来，找到等在旁边的老潘，让他安排兄弟仔细搜索水库周围。

果然，在距捞尸地点不足 20 米的地方，发现了带有血迹的石头，还有一个掉落在旁边的弹壳。可以确认，两个悍匪是在抛尸前，在水库边冲着两个警察的头分别补了枪。

遵照惯例，老潘根据案发时间给案子取了一个简单的名字——403 枪案。

"我要是抓住那两个混蛋……"老潘的声音有点抖，只讲了半句就说不下去了。

谁也没想到，一周后，一个姓谭的老板突然自己找到公安局来，说自己车后备厢里有一摊血！

那是一辆当年很稀罕的白色宝马，一打开后备厢，两大片血迹因为捂了好几天，散发着浓浓的腐臭味。

章法医他们第一时间用沾水的棉纱在两摊血迹的边缘取了一些干燥血迹，带回实验室。当时 DNA 检测技术尚未普及，只能依靠血型做基本判断。

结果显示，枪案现场提取到的血迹和后备厢里的血迹，血型双双一致。两个受伤警察生命的最后时刻，是在谭老板的车后备厢里。

这个谭老板走不了了。

老潘闻讯，立马换下给谭老板做笔录的兄弟，他要亲自和这个谭老板聊聊。

谭老板一开口先大喊冤枉。半个月前，他和女友从卡拉OK房出来后，正准备开车回公司，在一条岔路上突然被人用农用车截停。随后，一个身形高大的匪徒用枪指着他的头，把他挟持到一个小房间里。

冰凉的铁链绑住了他的手脚，对方开口跟他要 150 万元。

谭老板家里只筹到 93 万元现金，再三讨价还价，对方答应先收下这笔钱放人，但是要赎走车，谭老板还得再拿 40 万元。

让谭老板庆幸的是，对方在收到 93 万元现金后，在一条大路边把他放了下来。逃脱虎口的谭老板生怕对方还会再找自己麻烦，对于拿 40 万元赎车并不敢有太多异议。

而且 20 世纪 90 年代，像宝马、奔驰这种进口豪车都需要通过特殊渠道才能购置，不仅花费大，手续繁琐，耗费的时间也很长，40 万元并不算太过分。

等他凑齐了钱赎回自己的车，等待他的却是后备厢里两摊令人毛骨悚然的血迹。

逃过一劫的谭老板慌了，他怕警察真找上门来自己说不清，思虑再三便报了警。

但关于这伙人更多的信息，谭老板也不知道。他不认识他们，甚至没有见到那帮人的脸，对方和他接触的时候要么戴着头盔，要么戴着帽子口罩，至于后来为什么要驾驶着自己的车去杀警察，他更无从得知。

唯一一个与"野兽"共度7天并存活下来的人没有记住"野兽"的长相，让老潘这个猎手空有一身力气却找不到狩猎目标。

这种憋屈又无能为力的感觉，老潘太熟悉了。

两年前大发市场的旧案就曾一次次把他打入这样的绝境中，让他几近窒息。

1992年12月30日，老潘记得很清楚，当时他刚安排好元旦的值班，准备第二天陪老婆孩子出去玩，突然接到第二起枪击案的报警。

还是大发市场附近，还是一对夫妇。

老潘赶到现场的时候，离枪案发生还不到一个小时。两具尸体静静躺卧在路上，身下未凝固的血似乎还散发着余温。

这次的报案人在距悍匪不到10米的地方，完整目击了案发全过程。

下午6点左右，一辆红色摩托车迎面而来，在驶过谭氏夫妇的摩托车时，后座一个戴茶色头盔的人突然拔枪朝丈夫谭某的胸膛开了一枪，摩托车顿时失控，冲向路旁。

后座的妻子吴某被突如其来的一切吓得大叫一声，匪徒抬手对准她胸膛又开了一枪，妻子再也没有了声音。

这时，匪徒像是不放心，停车走下来，照着谭某的头补了一枪。

这一连三枪时间很短，对面车道目睹一切的骑手远远放慢了车速，盯住匪徒。只见匪徒从吴某身上取下装着20万元现金的带血挎包后，调头朝大沥方向逃跑。骑手尾随了一段路，发现这辆红色摩托车没有车牌，自己跟踪没用，赶紧报了警。

时间、地点、受害者身份，前后两起持枪抢劫杀人案几乎一模一样。

这伙人根本没有停手的意思，反而像是在一次次杀戮中"熟能生巧"，摸出了套路。

这对刚刚升任队长的老潘来说，实在是一种挑衅。

当时，全省只有几台电脑能比对指纹，过程还极度繁琐：一张3.5寸，内存仅有200多兆的硬盘，能存的数据非常有限，两起案子稍微隔得久点就使不上劲了。而且基本比对靠人眼，一天下来，再好的眼神最多也只能比对百来人。

那时候也没有电话定位，视频监控更是想都没想过。目击证人只要不认识凶手，看到也没多大用，一是记不清，二是描述不准确。

所以当时老潘他们特别注重走访排查、现场访问。

可遇上大发市场这两起案子，年轻的潘队突然发现，自己这些手段都失灵了。

他卖力地走访，甚至有点不讲章法。他把队里十几个兄弟全部撒进市场，一半人在各个路口蹲候，一半人挨家挨户走访排查。

他对市场里的每一辆摩托车都做了登记，重点排查那些在市场里打工的外地人——当时他们是本地犯罪率最高的群体。

他组织辖区里的派出所，天天去出租屋密集的城中村查地下赌场和做毒品交易的小混混，碰到眼神鬼鬼祟祟的就带回来让他们"仔细回想"。

但却没有得到任何有价值的线索，潘队也从局长眼里的得力干将，渐渐变成了办事不力的老油子，挨训都挨疲了。

案犯一天不落网，噩梦就一天不会结束。未破的大发市场旧案成了新灾难的开始——403枪案，这个老潘随口取的简单代号竟成了后来广东省的"天字第二号案"。

在市局和实验室奔波多天的章法医，终于等来了一个电话。

他到底在电话里听到了什么，小徒弟并不知道，但是电话挂了之后，小徒弟发现师父坐在那儿一动不动，像在发呆，又猛地站起，将刚燃起来的烟摁掉，带着他一头扎进了档案室。

档案室不足20平方米，推开门，是一排排堆叠在一起的铁柜子，墙角放着几袋生石灰吸湿气，但打开柜子依然能闻到淡淡的霉味。这里就是存放历年现场勘查档案，以及一些未破案件卷宗的地方。

在此之前，小徒弟从没注意队里还有这么个地方。

档案室不大，存放的卷宗却不少。结案的卷宗都装订得整整齐齐，未破案件的卷宗往往都是散着的，像是在苦苦撑着，等一个结局。

章法医先是翻开一个厚厚的记录本，用纸条抄下了编号，然后从1992年起，带着小徒弟把那些铁皮柜挨个打开，开始扒那些档案袋。

一个，两个，三个。找到一个，章法医就往徒弟手里放一个，卷宗越垒越多，分量越来越重。

望着手里厚厚一沓档案袋，小徒弟心里开始嘀咕，他不明白师父翻出这些陈年档案要干什么。

章法医带着档案和徒弟在楼里转了一圈，也没有找到老潘，他一会儿没歇，回了办公室就打老潘的BP机。放下电话，他也不坐下，就站在电话边上。

小徒弟觉得办公室里空气都快凝固了，好奇、紧张的情绪让他也开始坐立不安，他捧着那几个档案袋，因为怕弄乱也不敢打开看，就那么一直盯着在电话边来回走动的师父。

电话终于响了，章法医一把抄起电话："403枪案和大发前两年的枪案串起来了。"

章法医开口第一句话就让对面的人沉默了，他几乎是吼出来的："我骗你干吗！"

小徒弟不知道，不长的一个电话，听筒那头的老潘，烟点了一支又一支，碾碎了一地的烟头。

两个警察在电话的两头，同样焦虑而兴奋。看来他们俩和这伙悍匪，注定了要斗一斗。

小徒弟从没见过这样有些"失控"的师父，他低头看向怀里那个最厚的牛皮纸档案袋——封面上，黑色笔写着几个大字：1992—1993年大发市场系列抢劫杀人案。

原来，杀害两个警察并不是这伙人第一次开枪，他们曾在1992年到1993年两年间，让人发市场里的每个人对"红色摩托车"产生过刻骨铭心的恐惧。

神出鬼没，尾随、逼近，在人毫无察觉的时候一枪毙命，连求饶的机会都不给。不到 3 个月的时间里,两个档口老板命丧黄泉,后一起因为有目击者,传回来的详实细节越发恐怖。

红色摩托车上的两个悍匪似乎成了某种"幽灵":没人见过,但人人生畏,因为见过的人都已经死了。

"幽灵"的目标很明确,就是大发市场的老板们;作案的时间也很固定,就卡在老板们收档回家的时间。

大发市场成了一片富有但凶险的"法外之地"。

大发市场,全称是大发卷烟批发市场,20 世纪 90 年代南海最火爆的烟草集散地,市场旁就有一条大马路直通广州——当时只要提起来,谁眼睛都会发红。

在一个普通工薪家庭,夫妻二人月工资加起来不到 300 元的时候,广州一个工厂的小工已经拿着 600 元的工资,抽上了"万宝路"。

当时全国范围内都流行着一句话:"东西南北中,发财到广东"。

这里有所有最新奇也最刺激的玩意儿——第一家五星级酒店、第一家外资企业、第一家律师事务所……这些新事物里,也包括当时品种最丰富的"外烟":"万宝路""三五""健牌""希尔顿"……这当中有九成以上都是乘着私人小摩托艇,从海的另一头飞驰而来。

"海水不干,走私不断",卷烟走私在世界范围内被公认是仅次于毒品走私的第二大走私活动,而当年在广东,这种现象屡禁不绝。

虽然 1992 年颁布的烟草专卖法声势浩大,但越是禁止,走私者就越兴奋。与高风险相对应的是卷烟走私高到离谱的利润。

当年进口卷烟的关税加增值税能达到400%，一条30元的进口卷烟，完税后的价格要200多元，再加上批发、零售、运输环节的费用，国营专柜真正的售价近300元。

走私可以让利润"白翻"10倍，这几乎成了这个市场里公开的秘密。

无论是本土烟，还是进口烟，在这里都不愁销路，每天来进货的商贩络绎不绝。更豪横的是，市场里所有生意全部现金交易，一到傍晚收档，随便哪个老板怀里都揣着10万左右的现金。

人潮和钱潮一同涌入这个充满"冒险精神"的市场，每个老板都觉得，把钱揣进兜里的人应该是自己。

这和那两个"幽灵"的想法不谋而合。

老板们骑上摩托车驶向四面八方，在他们眼里，就像一只只待宰的羔羊在四散奔逃。

毕竟那个年代教给他们的就是：谁胆大，谁就能夺走一切。

那段时间，老板们无一例外，只要一提起这两起命案，都是牢骚、不满，没人有好脸色。

那些骑摩托车的老板尤其没有安全感，小汽车好歹隔着一层铁皮，自己骑摩托车，不管是前面来车还是后面来车，都宛如惊弓之鸟。

短短几天之内，市场里多了五六辆崭新的桑塔纳，都是被那两个杀人不眨眼的"幽灵"给吓的。

"潘队，赶紧抓到凶手吧，过年的时候我给你们派红包。"这成了老潘当时查案听到最多的话。

老板们话里话外敲打着这个刚上任的刑警队长,每说一次,就像往老潘心里扎一根刺。

那段时间是队里讯问最密集的时候,审讯室里天天都能听到警察大声地呵斥,还有那些小混混求饶的哀嚎。

和鸡飞狗跳的公安局相比,两个"幽灵"倒显得越发安静。抢完钱后,他们没有任何动作,本地的歌舞厅、卡拉OK房,甚至地下赌档,都没有发现可疑的人。

所有人百思不得其解:一夜暴富,都不出来挥霍一下?

直到有天下午,一个报警电话再度让老潘心跳加速:大发市场里有人持枪。

当时他刚完成一天的走访,一听这个消息扭头就回了市场。进出的两个大门已经被荷枪实弹的兄弟们守得死死的,他第一时间找到了报案人。

那是一个杂货铺老板,姓叶,得有50岁了。看着黑黑瘦瘦的,弓着腰,已经一脸讨好地等在门口。

见潘队来,叶老板赶紧递烟,老潘没有接,问他怎么发现的嫌疑人。

叶老板讪笑着把烟收回去,说:"是我家老二,奋权,他说刚才在市场里看见有个人身上带着枪。"

叶老板转述着自己二儿子描述的嫌疑人特征:长发,瘦小,身高不到1.7米,穿黑色夹克和牛仔裤,当时就站在前面拐角老刘家的铺子门口。

叶奋权?老潘隐约对这个名字有些印象,但一时之间想不起自己到底在哪里听过,下意识问:"他人呢?"

叶老板说儿子回家吃饭去了,又扯出笑容。

"回头叫他来派出所做份笔录。"

离开杂货铺,老潘没有贸然冲去老刘家的铺子,他在对讲机里招呼队里兄弟,小心朝铺子靠,免得打草惊蛇。

快摸到老刘家铺子门口时,老潘伸手摸了摸腰上的枪,把对讲机关了,交给旁边的同事,自己和一个兄弟若无其事地走过去。

有个男人正站在柜台前,和档口的老刘说着什么,穿的正是黑色夹克和牛仔裤。老潘注意到对方夹克下摆左高右低,右边的口袋很可能揣着家伙。

就在这个当口,老潘忽然意识到自己犯了一个错误!前两天排查的时候他才和老刘见过面,此时要是对方开口很可能暴露自己身份。

"老刘,上次你给的货数目有点不对啊。"他一边大声嚷嚷,一边和同事加快脚步进了铺子。

老刘明显愣了一下,问:"货?什么货?"

黑衣男子也转过头来看着他。或许以为老潘是来找麻烦的人,男人稍稍往后退了一点。眼看对方没有防备,手还没来得及伸进口袋,老潘和同事对了一下眼神,一个箭步冲上去把对方的双手别住,按倒在地。

手到对方口袋里一摸,冰凉的触感传来,掏出来一看,果然是把真家伙,于是直接把人拎回了队里。

晚上 8 点多,审讯室灯火通明,章法医听说队里抓到了大发市场枪击案的凶手,特意来看看。

轻轻推开门,铁椅子上的男人神色惶恐,看到章法医进来,努力挤出了个笑容。审讯还在进行,但让章法医感到意外的是，主审居然不是老潘，而是队里一个小同事。

章法医在办公室找到了老潘，对方正把玩着一把枪。看到章法医进来，老潘抬起头，把手里的枪递了过去。

"看看。"

章法医一脸疑惑。

那是一把54式手枪，没有装填子弹。他卸下弹夹，咔嚓咔嚓拉了两下套筒，扣下了扳机。

"啪嗒——"

这是击锤放空的声音。

章法医抬起头看向老潘，他察觉出手枪不对路，但是作为法医，对枪械的了解肯定不及常年玩枪的老潘。

只见老潘接过枪，三下五除二把枪支分解成一个个零件，指着枪支的撞针和枪管——

"这不是一把真正的制式54式手枪，而是某个小作坊仿制的，不管是枪管还是撞针都格外粗糙，甚至连膛线都没有。

老潘阴沉着脸，缓缓说道："不是那把枪。"

这个身上带枪的家伙叫王新，长期往返广州和湛江批发卷烟贩卖。平时就住酒店，出行都是打车，基本一个人往返，看起来不像有同伙的样子。

老潘找到第二宗案的目击证人，让对方偷偷看了一眼。

虽说那两个"幽灵"作案时都戴着头盔，但后排开枪的案犯瘦瘦高高，身高接近1.8米；骑摩托车的那个虽然不足1.7米，但身材敦实，轮廓粗壮。而王新身材瘦小，和那两个案犯的特征都对不上。

批发市场也有老板证明，说和这个王新常年打交道，是个本分的生意人，应该不会干啥坏事。

至于他手里那把枪,这年头,由于枪支泛滥,抢劫案件高发,只要是长期在外面跑的生意人,哪个身上没有点家伙?

审了一夜没有任何发现,对方的口供也看不出什么问题,第二天一早老潘就把人放了,只是没收了对方的枪,罚了3000元。

这事让老潘很郁闷,冥冥之中,那两个"幽灵"像是在戏耍他。这抓错人的乌龙估计又得让队里兄弟嚼上大半年。

他没有想起那个一开始提供报案信息的人——叶家老二——并没有如约来做笔录,也没有想起他的名字和那张他曾经见过几次的脸,叶奋权。

"幽灵"依然在大发市场游荡。


老潘提议,在大发市场修一个金库。

既然凶手是奔着钱去的,那么让档口老板收档之后直接把现金都存进金库的保险柜里,然后派专人看管,定期让银行派车押运。老板们不用每天带着大量现金到处跑,凶手自然也就不会再死盯着这个地方。

但这个方案很冒险:按照以往经验,像大发市场这样的系列抢劫案,罪犯反复得手后,胃口只会越来越大,作案也会越来越频繁。现在修金库,意味着大发市场将不再是一个理想的目标,他们大概率会转移作案地点。

这其实是在赌周边地市哪里会是新的发案地。只要他们敢伸手,就得掂量掂量会被抓住。

老潘的提议最终得到了局长的支持,大发市场的老板们对此也很开心,镇上出了些钱,老板们也集了资。

不到两周,金库修好了,十几个厚重的保险柜排成一排,每班两个保安看守,还有两个带枪警察长期驻守。除了设立金库,出入市场的几条大路都设了流动巡查卡点,当地的民兵带着冲锋枪在路面排查。

老潘"严防死守"的方法奏效了。过了农历新年,大发市场的治安环境好了很多,连以往周边打架斗殴的小混混都绝迹了。

就在所有人以为"幽灵"不再盘旋此地的时候,1993年8月,大发市场附近再次响起了枪声。

这次,是9枪。

老潘没有等到周边地区的兄弟单位来串并案件,先等来了9声枪响。

那两个"幽灵"像是被激怒了,用越发惨无人道的方式回敬了老潘。

同样是晚上6点多,大发市场收档的时间,黄氏夫妇在返家路上被截杀。和以往一枪毙命、拿钱就走的风格不同,这次两个死者身上,总共发现了9个子弹打出的血窟窿。

杀人地点也不再是偏僻的路段,不远处就有一家杂货店,斜对面甚至还有一个正在装修的酒家,当时路上来往车辆也不少,匪徒却选择连开9枪,在众目睽睽之下杀人!

老潘也被激怒了,他在死者的摩托车坐垫上发现了两个脚印,撬开的摩托车后备厢上还提取到一枚残缺的指纹——于是把整个市场的人都叫去了派出所。

几百个人的指纹,技术员根本没见过这种阵仗。

全队上下连续熬了四五天夜,但最后没有一个人的指纹对得上。

这对宿敌未曾谋面,却在不知不觉中深陷以命相搏的赌局,且谁也不愿意做先后退的那个。

而现在,大发市场的第三起枪案才刚过半年,那两个"幽灵"又手痒了,他们不再骑摩托,而是开起了绑架得来的"宝马"。

枪击案、绑架案,老潘突然明白,他们之所以放过了大发市场,也许是因为发现了这条新路子——绑架豪车老板。

在大发市场抢劫一次到手最多不过十几二十万,还要背上几条人命。最后一次由于市场金库已经建好,甚至没有抢到多少现金。而到了谭老板这里,他们连人带车一次就拿到了133万元。

低风险、高收益——这对他们这种用命换钱的人来说,实在是笔划算买卖。

但他们千不该万不该把买卖做到了警察头上——枪杀两个警察,劫走两把枪——这一次,不只昔日的宿敌老潘,当地的所有警察都憋着一股劲儿,要跟他们好好算算账。

劫后重生的谭老板渐渐冷静下来,向老潘提供了一条重要线索:自己有个做生意的朋友孙老板,4个月前也被这伙人绑架过。巧的是,孙老板也有一辆宝马车。

1993年12月的一天傍晚,孙老板正开着自己的宝马车准备回家,突然被一辆农用车截停,几个人持枪逼他下车,他吓得腿都软了,话也说不出来。匪徒连推带搡把他绑到了一个出租屋。最终,绑匪从他家人手里要走50万元才放掉他。

事后,孙老板觉得或许自己命中该有此劫,既然人没事,车也要回来了,多一事不如少一事,就当破财消灾了。万一报了警，对方再回来报复自己，可是吃不了兜着走。

出于这种考量，孙老板一直没有报警。直到他听自己同在广州做生意的朋友吴老板讲起一件事，一下觉得不对劲。

早在孙老板之前，吴老板也被绑架过，同样是交了50万元赎金保命。被放出来时绑匪警告吴老板，如果敢报警，就杀他全家。吴老板自认倒霉，没报案。

没想到两个月后，厄运转移到了孙老板头上，接着又是谭老板。

同样震惊的还有老潘，一次报案牵扯出3起绑架案，最早的一起甚至就在大发市场最后一案发生后不到两个月！

"真是傻！"老潘当着孙老板的面发了火，他愤怒于这几个老板的明哲保身，如果早点报警，警方或许能早一步掌握线索甚至抓到凶手，他们不会一个接一个陷入险境，自家警察兄弟可能也就不会被杀。

这些大老板们钱多、胆小、好控制，"幽灵"已经尝到了甜头，老潘觉得，他们一定会更加丧心病狂地作案。

看着在办公室发飙的刑警队长，孙老板不断赔着笑脸，小心翼翼地仔细回想。被绑架期间，他曾在闲置的出租屋里看到过一辆红色摩托车，车牌尾数是992。

老潘立刻派人去筛查，却发现原车主已去世，车前后被倒卖了9次。

查证工作像是一个解也解不开的连环套。老潘组织队里弟兄到孙老板描述的被绑架地点清查了好几次，一直蹲点到年底，也没有符合条件的可疑人员出现。

老潘觉得，自己像是被这两个"幽灵"下了诅咒，他们蒙住了他的眼，不断在他身边制造声响，他分明能感觉到他们在作乱，但就是摸不到人。

一直到 1994 年年底，他们终于找到了前一任车主，但对方表示时间过去太久，当时买车的人叫啥、住哪里，实在想不起来了。

老潘连生气的力气都没有了，只能叮嘱对方想起什么一定要来找自己。

队里的士气越发低迷，兄弟们干活也没了冲劲儿。又过了不久，为此案成立的专案组干脆撤销了。

那段日子着实憋屈，但老潘只能扛着。以往年年被表扬的刑警队那年破天荒被点名批评，老潘自掏腰包，拉着队里的兄弟们去河边的大排档喝酒。

那天晚上几乎所有人都喝多了，老潘把手里的啤酒瓶摔在地上，说 403 枪案不破，他再也不喝酒了。

同样喝高了的章法医走过去，踢开那些碎玻璃渣，和老潘抱在一起，嚷嚷着迟早让那些"扑街崽"好看。

黑色的河水寂静无声，一群年轻人在心里默默发誓，以死去的兄弟之名。

403 枪案过了整一年后，1995 年 4 月，老潘和队员们收到了一条或许能让他们逆风翻盘的线索——那辆曾经让大发市场档口老板们夜不能寐，让他们追踪了整整 3 年的红色摩托车，又出现了。

1995 年 3 月的最后一天，红色摩托车的前主人突然找到老潘，说他在当地的"永青发廊"门口看到了那台车。

老潘的网已经撒在这里一周了。永青发廊从门脸看上去和其他发廊没啥两样，两张理发店常见的那种椅子，还有两面大镜子，但实际上抽屉里一把理发用的推子都没有。

每天下午，老板娘都会带着两个20多岁、短衣窄裙的洗头妹坐在门口的沙发上。想找乐子的人一看便知。

终于，这天傍晚7点多，一辆红色摩托车停在了发廊门口，看到车牌后3位，老潘瞬间打起了精神——992。

骑车的是个青年男子，身高不到1.7米，留着分头，锁了车就晃晃悠悠地进了发廊。

老潘用对讲机部署好，然后深吸了一口气又缓缓吐出去，心底悬着的那根弦反而松了点。掐着表算着时间，男子已经进去5分钟。

一年都挺过去了，不差这点时间。

老潘再次检查了腰上的枪，开了保险，上了膛，调整好枪套的位置——牺牲警察的失枪还没有找到，对方身上极可能有枪，他得确保真面对面死磕，自己能第一时间摸到枪。

老潘带着一个小兄弟特意绕了一点路，一路闲聊，看上去就像顺着街边随意逛不小心逛进店里的客人。

老板娘赶紧招呼，问他们是洗头还是按摩。老潘没回答，装作考察环境的样子慢慢往内侧靠过去，那里有两个小隔间。

他伸手轻轻推了推小隔间的门，门关着，里面亮着灯。老潘回头，和同事使了个眼色，两人在老板娘发出喊声的同时朝那扇门踹过去，迅速拔出了腰上的枪。

暧昧的灯光下，两个裸着身体的男女正纠缠在一起。

男人刚爬起来，就被两把枪抵住了头。

男人很爽快地承认了嫖妓，表示认罚。但当老潘问起那辆红色摩托车时，对方的眼神躲开了，来来回回都是没意义的回答。

老潘突然起身，走过去掰住男人的手指。看他龇牙咧嘴，老潘的脑海里毫无征兆闪过了那两个牺牲兄弟的脸。

403枪案的两个兄弟已经走太久了，自己不能再浪费时间。将凶手绳之以法，老潘的脑袋里只剩这一个想法。

虽然有心理准备，但当男人竹筒倒豆子一般，一口气吐出3个名字的时候，老潘还是觉得有点不真实。

原来他们一直在追踪的"幽灵"不是2个，而是4个。他们像非洲草原上的一伙掠食者，分工明确，配合默契，盯梢、埋伏、威慑、出击，所到之处只留下血腥和杀戮。

我们抓到的"狒狒"是四人中年龄最小的，入伙也最晚，只作为帮手参与了后面3起绑架案。

拉他入伙的是他的表哥叶奋权，也是整个团伙的大哥"狮子"。

那个让老潘觉得"耳熟"的叶奋权，就是大发市场开杂货铺那个叶老板家的二儿子：高瘦，大个儿，肤色黝黑。喜欢偷，偷不到就抢，从小就是派出所的教育对象。

叶奋权爱坐在自家老头子的杂货店里，一言不发地抽烟。别人以为他是游手好闲，其实他正像狮子一样观察自己的猎物。

他有意识地同大发市场里的档主混熟，谁家走私烟卖得多，谁家生意好，谁家现金多，渐渐都摸清楚了。他的小笔记本里有一批名单和资料，凡是上了这个名单，条件成熟一个，他就扑上去杀一个。

"狮子"参加过几次民兵训练，枪法很准。他有点口吃，平时不大说话，但一旦出声绝对不允许别人反对。

团伙里的二哥"秃鹰"是"狮子"的妹夫。他是红色摩托车的主人，块头不大胆子大，在家里话不多，但在勒索赎金以及和受害人家属交涉的时候，狠话撂得比谁都熟练。

最初的3起大发市场抢劫杀人案，骑红色摩托车的"幽灵"就是最早上道的"狮子"和"秃鹰"。

两起枪击案让两人赚得盆满钵满。由于从小就听长辈们念叨村里谁谁谁又发大财修了房子，两人跟家里人说在广州合伙做买卖赚钱了，拿着抢来的钱分别给家里修了三层带院的楼房，街坊邻居都对他们刮目相看。

最后一次大发市场抢劫案，两个人几乎没抢到什么钱，"狮子"受香港女明星被绑架案的启发，决定走绑架之路。但两个人实在忙不过来，绑了人都没地方去，他们决定招兵买马。

"狮子"找来自己的表弟"狒狒"开车，"秃鹰"找了自己的姐夫"鬣狗"专门看管人质。他们还换了作案用的交通工具，红色摩托车变成了6座的农用车。

后来"秃鹰"自己买了一部桑塔纳，就把红色摩托车丢给了新入伙的"狒狒"。

"狒狒"当时并没有害怕，他觉得表哥都干了这么多大案子了，不也没出事？

"狒狒"交代，4月3日那天，放谭老板回去之后，那辆宝马车还在四人手里，钱一时半会儿拿不到，"秃鹰"提议"开这好车出去兜兜风"。

4个人没有明确的目的地，开着谭老板的车在工业区漫无目的地乱晃，却意外撞上了两个执勤的警察。

四人的第一反应是，谭老板报警了。但很快他们反应过来，要真是抓他们，不该只有两个人。

但宝马车毕竟不是自己的，"狮子"身上还揣着枪，根本禁不住查。于是，在被要求出示证件的时候，"秃鹰"转过身装作要去拿，副驾驶的"狮子"趁机连开两枪，两个没有防备的警察应声倒地。

他们从两名警察身上搜出两把手枪、4个弹夹，接着开车把受伤的警察载到东山水库，准备毁尸灭迹。

可抬下车的时候，其中一个警察还在动，"狮子"抬手又给两人各补了一枪。

因为杀了警察，路面上的巡逻警察变多了，村里动不动就清查外来人口，4只"野兽"收起利爪和獠牙，躲了整整一年的风头，钱花得差不多了才出来。

4起枪击案，3起绑架案，8条人命，其中还有2名牺牲的警察，经过4年的苦苦追查，所有尘封的冤屈终于在那一刻重见天日。

拿到名单的当天，老潘就和兄弟们去了另外3个人的住处附近摸底，得到的消息喜忧参半。

"狮子"和"秃鹰"给家里修楼房的时候还经常能见到，最近一年多基本不见人影；"鬣狗"的邻居说最近看见过他几次，还有两次看到他带着几个年轻人一起回家。

眼下已经抓了"狒狒"，另外3个案犯迟早会察觉，不管怎样都得打草惊蛇。老潘使了一个小心眼，既然"狮子"和"秃鹰"不怎么回家，干脆明目张胆去拜访，来个声东击西。

警察们穿着制服，声势浩大地去叶黄两家"拜访"。反复讯问他们儿子的行踪后，两边老人的脸色都不好看。最后两家父母都拍着胸脯说，一看到自己儿子回来就让他们去派出所报道。这当然是场面话。

老潘还在两家所在的村落外面设立了很多流动巡逻卡哨，无数双眼睛在暗处盯着那两个家伙。

很快，老潘在叶黄两家闹出的大动静就在村里传开了，街坊邻居都开始议论那两个平时游手好闲的家伙到底犯了什么大事。

这一切正合老潘的心意，搅和的人越多水就越浑，这样他就可以把走访的重点放在没什么防备的"鬣狗"身上。

"鬣狗"家的房子在村子深处，通往那儿的小巷越走越窄。他家的房子也修得古怪，院墙都快和二楼平齐了，从外面很难看到里面的情况。

老潘带着兄弟踩了两次点，最后把暗哨安排在了村头和村尾。

5月中旬的一天，晚上10点多，暗哨的兄弟看到两个戴着头盔、骑着摩托车进村的人。按照蹲守这些日子的观察，这个点村里几乎不会有外人进出。这一反常情况立刻引起了大家的注意。

他们一边通过对讲机通知老潘，一边跟了上去。

果然，两人七拐八拐，进了"鬣狗"家的小院子。

老潘带着暗哨的两名兄弟和6个特警先在村头布置了一组拦截，又在村尾河对面安排了两人。他们在村口给枪上了膛，特警的冲锋枪也端在了手里，一场恶战无法避免。

村里没有路灯，只有路旁"握手楼"窗户里透出的微弱光亮，老潘一行人也不敢开手电，摸着黑，沿窄窄的小巷向"鼗狗"家进发。

或许是因为人多，又或者是生人的气息太特别，"鼗狗"家院里的大狼狗突然叫起来，紧接着旁边住宅里的狗都跟着狂吠起来。

"什么人？""鼗狗"宅子里传出一个中年男人的声音。

老潘犹豫了一下，正琢磨着该怎么回复，一个心急的特警直接喊了声："派出所查流动人口。"

此话一出，院子里男人呵斥狼狗的声音忽然停了下来，只剩下声声犬吠从门里传来，在寂静的夜里格外让人心烦。

老潘后来跟我开玩笑，说当年干活，很多兄弟真的很糙，欠考虑的东西太多。因为大家确实没有经过什么专业的学习和培训，都是凭感觉去干，有时候就是蛮干。"那时候搞砸的事情不少，受伤、牺牲的事情也常有，真的都是血泪教训。"

老潘知道糟了，但手上没有能破开大铁门的工具，围墙又太高，一时半会儿根本没有攻进去的办法。

这时，"鼗狗"邻居家的屋顶上突然跃起两个黑影。

村里修的都是握手楼，楼和楼之间靠得特别近，如果从巷子追，根本看不到楼顶，很可能被案犯逃脱。

情急之下，老潘朝天鸣了一枪。

枪声在夜里传出很远很远，本来只有邻近几户的狗在狂吠，现在整个村子的灯一瞬都亮了起来。

屋顶两个人听见枪响瞬间伏低了身子。老潘他们也不敢轻易跑动，紧贴着小巷子的墙壁大口喘气。

隔了十几秒，屋顶上连续亮起几束微弱的光，光冲着老潘他们过来，变成要命的子弹在耳边炸响。

悍匪有枪！

老潘脑子嗡嗡的，本能地猫低身子带大家退到了有遮挡的墙边。

刚一落定，冲锋枪和手枪接连响了起来，老潘分明感觉到有飞溅的砖石碎屑擦过自己脸庞，鼻腔里都是浓重的火药味。

不到两分钟的时间，9个人的冲锋枪和手枪弹夹全部打空，对面的屋顶上没有再传来枪响。

趁着几人低头换弹夹的工夫，老潘让两名特警绕到前边去看看。

"他们往左边跑了！"还没等歇口气，特警大声招呼，老潘一行人拔腿就追。不远处，靠近村尾的位置，两个黑影拼命向前跑着，时不时还回头补一枪。

子弹不长眼睛，巷子里也没有理想的掩体，老潘他们只能隔着二三十米跟着。

老潘心里不断演练着，村尾巷子是一条断头路，再往前，有条大河会把他们截住。

老潘有些庆幸自己提前安排了两个兄弟在河对面拦截，现在两边是巷子，前后有堵截，他并不怕对方狗急跳墙回过头来硬拼，自己手里有6把冲锋枪、3把手枪候着，唯一的变数，是前方那条河。

河有20多米宽，万一对方双双跳水，分头逃窜，在夜里视野受限的情况下，抓捕难度会直线上升。

眼看着跑到了路的尽头，一片死寂中，两方人马无声对峙着。

突然，江面上"哒哒哒"的马达声划破了夜幕，黑沉沉的江面上出现了一条小货船。

"扑通、扑通"，没等老潘喊话，两个匪徒双双跳入江中，玩命朝小船游去。特警和对岸的侦查员开枪拦截，但两个黑影扛着子弹越游越快，已经摸到了船沿。

船上还有老乡，怕误伤群众，大家只好停止射击。

老潘在河边大口喘着气，他的眼前没有路了，他得顾及船上群众的安全，而且那两人手里也有枪，顶着对方的火力强行登船只会再度把自己兄弟置于危险中。他不能那么做。

船上，嚣张的大笑、呵斥清晰传来。

老潘站在河边，眼睁睁看着那条小船越开越远，完全消失在夜色里。

"狮子"再一次从猎人的枪下成功逃脱，老潘发了狠，出租屋、小旅馆全部清查，几人的悬红通缉令从家门口一路贴到了广州、中山、江门。

无论是什么猛兽，这次都要让他们寸步难行。

2个月后，隔壁的顺德区刑警大队突然接到一起报案：当地颇有名气的电子厂老板曾老板被人绑架，他的家人接到了勒索电话，绑匪要88万元现金，3天后交钱，不然撕票。

省里刚下发了403枪案的协查通报，案子闹得全城皆知，这种风口浪尖突发绑架案实在蹊跷。

当天晚上，顺德区公安局的会议室被刑警支队的外侦人员坐满了，空气中弥漫着担忧。

如果此去面对的绑匪真的是403枪案的在逃犯"狮子"一伙，那么对方手里至少有3把枪，还有充足的子弹，交赎金和救人都是极危险的任务。

正在刑警队长问大家要不要抽签决定人选的时候,人群里一个壮实的小伙腾地一下站起来,说:"我是主办员,交赎金的事情我必须得去"。

小伙叫杜真,侦察兵退伍后进的警队,干了几年外侦,比老潘小点,还不到30岁。

像"狮子"这种身上背着这么多条人命的逃犯,杜真第一次遇到。确定出任务之后,他给老潘打了个电话。

老潘再三叮嘱杜真,一定要小心。

曾老板被绑后的第三天早上10点,案犯打来了电话——11点,带上大哥大,在市里文化宫门前交钱。

杜真和曾老板的堂弟一起坐在自己同事开的出租车后排,大哥大揣在裤兜里,装钱的黑色袋子放在脚边,88万元现金都是百元大钞。

包里没有什么机关、追踪器,那时候要做到精确的定位,普通的小装置很难实现,局里也没有类似的东西。

杜真的计划很简单:交钱时见机行事。如果能抓住收钱的凶犯,就通过他去找其余同案犯;如果没有机会抓人,就跟踪他,跟到老巢一网打尽。

一切准备就绪,载着杜真和赎金的出租车发动了。

出到大街,一辆摩托车稳稳跟在杜真坐的出租车后面,透过出租车的后视镜可以清楚地看到,杜真安下心来。

那是自己刑警队的兄弟小航,负责这次行动的保护和支援。

文化宫附近算是市里最繁华的路段之一,很难停车,也经常堵车。按道理来说,绑匪们会给自己留好逃跑路线,文化宫并不是理想的交易地点。

果然,出租车刚过跨江大桥,杜真裤兜里的大哥大响了。

一个男人问他到哪了。听到杜真的回复后,对方立刻给了一个新地址:城东酒家,20分钟内到。

城东酒店在市区东边,从跨江大桥过去恰好需要20分钟,看来对方早有准备,连时间都是算准了的。

城东酒店的位置相对偏僻,正对一个十字路口。路口没有红绿灯,中间是一个圆形大花坛,车辆往来需要围着大花坛逆时针绕,往东就能轻松离开市区。

杜真心里有了数,这应该是真正的交易地点。

10点40分,出租车停在了城东酒店旁。

杜真开始了漫长又煎熬的等待,隔着车窗仔细打量周边的环境:小航的摩托车就停在自己身后十几米的路口,他正警惕地看着四周。路上的车很少,人行道上的路人脚步匆忙,没人注意自己这部出租车。

他有些不耐烦,摇下车窗,看到酒店旁的小巷突然钻出一个男子:个头不高,板寸,穿着宽松的T恤和中裤。

男人左右扫视了一下,就直冲着他和88万元赎金所在的出租车走过来了。

"拿钱来!"来者声音不高,但十分凶狠,说话时右手按着腰间,示意自己身上有"家伙"。

来人正是省厅通缉令里的矮个子、团伙里的二哥"秃鹰"。

杜真打开车门往里靠了靠,把装钱的旅行袋放到座椅上,自己下了车,示意"秃鹰"上车。

"秃鹰"见状，犹豫了一下，把腰间的枪挪到了身前，然后猫下身子钻进了后排，警惕地没有关车门。

杜真守在车门边，故作悠闲地抽烟，实则监视着男人的一举一动。"秃鹰"拉开旅行袋的拉链随意翻看了一下，推门就要走，杜真一把拉住他："就这么走了我没法交代啊。"

杜真一把拉住了旅行袋，说："把车钥匙和行驶证给我就行。"他得给埋伏在远处车上的兄弟们争取点时间。

"秃鹰"有些不耐烦，表示自己没带。

"总得有点凭证吧，打个收条给我也行啊。"杜真沉着地缠住他，曾老板的堂弟和扮作司机的同事也都下车在旁给杜真帮腔。

或许是害怕几个人纠缠在一起动静太大，"秃鹰"同意把身上带着的大哥大给杜真，那是曾老板随身携带的物品，可以做凭证。

"秃鹰"松开自己放在枪把上的右手，准备去掏裤袋里的大哥大，低头的瞬间，杜真一脚直踹，假扮司机的同事顺势把人摁倒在地上，杜真掏出手铐正准备上拷——

"砰！"杜真身后传来一声枪响。余光里，他看到骑摩托车保护他的同事小航和一个高个男人扭打在了一起。

同事被枪声惊到，一松劲，"秃鹰"一下挣脱了控制。杜真回过神，顾不得身后发生的状况，掏出枪抢在"秃鹰"之前连开两枪。

"秃鹰"被打中了胸口，当场毙命。

杜真还没从开枪后的耳鸣里缓过来，身后又传来一声枪响。回过头，一个单薄的身影倒下了，血还在汩汩往外冒。

杜真根本没意识到，就在刚刚，他的身后一个烧红的枪口几次对准他。

当杜真和"秃鹰"交易的时候，小航注意到，马路边一个高瘦的男人突然变得躁动，时而站起来伸长脖子，时而蹲下来找奇怪的角度，像在从车流的缝隙里观察杜真那辆出租车，而且他的裤袋沉沉的，可能藏有"家伙"。

小航意识到了危险，他跳下摩托车，紧跟在高个男人身后。

看到杜真他们突然发动攻击，男人瞬间快步向出租车逼近。杜真正在和"秃鹰"搏斗，对身后逼近的男人毫无察觉。眼看男人的手伸进了裤袋，小航孤注一掷，直接从后面扑上去抱住了男人。

男人比他高出一个头，凭着高大的身躯拼命反抗，但被小航锁死了喉咙，抵住了腰眼。垂死挣扎中，他从裤袋里掏出早就上了膛的手枪，朝着右边腋下扣动了扳机。

小航的右胸口一瞬间血流如注，他慢慢松掉了力气，向下坠去，但他仍看着杜真的方向——他安全吗？他的任务顺利结束了吗？

最后关头，小航拼死坐起来，两次朝高瘦男人举起手枪，可是已经无力扣动扳机了。

男人回身，又向小航连开两枪。

外围的刑警兄弟们听到枪声立马赶到，杀红眼的高瘦男人钻进了旁边的酒店，几个逃出来的服务员、厨师用门栓从外面锁住了门。

屋里的男人成了困兽，他从兜里缓缓掏出了一枚手榴弹。屋外所有警察的枪口都朝向男人的方向，枪声震耳欲聋。

一阵激烈的扫射过后，杜真拿着枪，踩过碗碟碎片，小心翼翼走到了男人身边。

男人面冲地，整个人泡在自己流的血里一动不动。他的手里还拿着一把64式手枪，手榴弹的拉火环已经套在手指上了。

杜真踢开对方手里的枪，用脚将他翻过来，终于看清了对方的正脸——悍匪四人中的老大，"狮子"叶奋权。

击毙了悍匪团伙的两大头目，但队里没有一个人感到高兴，因为中枪的小航没有醒过来。

昏迷状态中，他手中的枪仍指着歹徒，冲过来救他的兄弟叫他把枪放下，他怎么也不肯放手。直到把他送到医院抢救，兄弟们费了很大的力气才把枪从他手里取下来。

牺牲了一个兄弟，抓多少匪徒也抵不回来。杜真反复地想，要是当时小航没有冲过去，中枪的就是自己。

但现在还不是脆弱的时候，悍匪中还有最后一个"鬣狗"不知道躲在哪里，被绑架的曾老板和他的情人还生死未卜。

留给杜真他们的时间不多了，谁也保不准在得知自己同伙被击毙后，"鬣狗"会不会做出什么丧心病狂的事。

3天后，接到消息的老潘和章法医赶到了顺德区公安局，与杜真汇合。

两个案犯的随身物品被全部搜了出来，两人身上各搜出一支枪，正是403枪案中两名被害警察的配枪。

"狮子"的裤袋里揣着个黑皮笔记本，侧面已经被鲜血染成了红色。笔记本写了三分之二，每一页上都记载着一个车牌号码，还有车型和颜色，经常出没的地点。总共33部车，除了两部奔驰，其余全是宝马。

最前面打钩的几个，正是之前绑架案受害者的车辆信息，而最后一个钩，就停在这次绑架的曾老板的信息上。

这笔记本就是他们的绑架名单。

章法医注意到，笔记本旁边别着一支小圆珠笔。那支笔很不起眼，上面印着几个小字，开头几个字已经模糊不清，但最后两个字依稀能辨认出："假""村"。

章法医心里一振："鬣狗"很可能藏在南海靠近广州一带的度假村里。区域里的3个度假村全被列为重点。

南海、顺德，还有广州临近的两个派出所，在省厅的协调下各自抽调了三四百人，第一时间把3个重点区域外围所有的交通要道全部围堵起来，设卡盘查所有的过往人员和车辆。

虽然匪徒只剩下一个人，但大发市场系列案以及403枪案杀死警察的那把枪到现在还没有找到，很可能就在"鬣狗"身上，他们还不能松懈。

清查的队伍按照最大火力配置，每个小组6个人，人人带枪，并且至少有一把冲锋枪，由刑警队的警察带队。发动上千警力上路抓捕一个案犯，老潘干刑警这么些年，就这么一次。

所有人都出动了，分组的时候，老潘犹豫了一下，最后拍了拍章法医的肩膀，让他到最外围的几个点去清查。章法医也一遍遍叮嘱老潘务必小心："我可不想再在解剖台上看见自己同事，尤其是你。"

谁都无法再承受任何一个兄弟的离开。

1995年7月12日，夜已深，整个金沙度假村静得可怕，这片平日里的休闲度假之地，今晚却成了剿匪战场。

506木屋别墅周边布置的警力已近百人，一组特警摸黑，靠到离别墅不到10米的地方，蹲在草丛里等待时机。

40分钟前，老潘的对讲机里突然传来一阵紧急呼叫。刑警队以查户口的名义检查金沙度假村里的小木屋时，敲第一个房间就遇到了情况——

"谁敢查我户口，我有枪，有手榴弹，砸我门我就毙了你……"506房间里，一个男人大声嘶吼，期间还伴有女人的呼救声。带队警员猛然一惊，转身避到死角里，同行的民警纷纷隐蔽起来。

由于对方手里有人质，加上方位不利，根本观察不到屋内的情况，队员们不敢强攻，只能等待支援。

老潘赶到度假村的时候已经快夜里12点了，他钻进离中心目标不到100米的一栋空别墅中，那里被定为临时指挥所。附近的几个派出所所长、管刑侦的副局长都到了，但是衡量之后，大家还在犯愁。

争论的焦点在于"鬣狗"手里的人质。

被绑架的曾老板在当地算得上是有头有脸的人物，开的电子厂是镇上的纳税大户，贸然冲进去，不管是伤了警察还是曾老板都不好交代。

期间，老潘试着给对方送水送吃的，对方一概拒绝，不许任何人靠近那个别墅。时间一分一秒过去，双方依然在对峙。

"鬣狗"所在的木屋别墅俨然一座坚不可摧的堡垒。这种房子的构造很特殊，为了避免地下的潮气，木屋下面设有高一米左右的架空层。屋子其实不是木头做的，框架立柱是混凝土，其余部位都是薄薄的木板贴了一层树皮，做成木屋的外观。

506房是所有木屋中最难实施抓捕的一个，它在最边缘的位置，旁边就有小路可以逃跑。周围又没有任何掩蔽，从里向外看视野很开阔，如果是大白天根本无法接近。

他们选择这个房间的时候，也许就预想到了不久后的某一天，自己将会面临今晚这种局面。

506房关着灯，屋里再没有任何动静。屋外，夜幕和木屋周围的灌木丛成了警员们唯一的掩护。

大战一触即发，双方都不敢轻举妄动。

僵持了一段时间，老潘他们决定先出击，派谈判专家对"鬣狗"展开心理攻势："你已经被我们包围了，只有放下武器，释放人质，才是唯一的出路……"

"是谁告诉你们我在金沙度假村的？"屋里传出声嘶力竭地叫喊。

"叶奋权已经被我们拘捕了！顽抗到底，死路一条！"

"到底是谁出卖了我？""鬣狗"发了疯一样绝望地喊道。

话音未落，屋里突然传出枪响，像是给出了顽抗到底的回答。霎时，曳光弹撕破了黑夜，"嘟嘟嘟！"前排包围木屋的警察向506房还击。

一轮对射后的短暂沉寂中，"鬣狗"又喊："我有手雷，谁敢进来就同归于尽！"

这时，别墅的窗户哗啦一声巨响，一个黑影撞破窗户跃出，随着破碎的玻璃一同跌入旁边的灌木丛。

旁边的特警第一时间冲过去拉住了那个跳下来的黑影，是被绑架的曾老板。

他们刚向后退的时候，别墅里又传来砰砰两声枪响。

特警队员赶紧把曾老板扑倒在地，所有人都屏住了呼吸。黑暗中，大家都静静地趴在草地上，只有那两枪轰鸣在夜空中回荡。

曾老板被送到了临时指挥中心,没有医生,章法医临时充当起了医护人员,帮曾老板处理身上的小伤口。

早上6点,天色眼看要发亮,老潘他们不能再等下去了。

兄弟们必须得在天大亮之前攻进去,不然木屋周围的兄弟就会失去掩护,暴露在这个亡命徒眼前。

曾老板逃脱后对方连开两枪,老潘他们分析,丧失了最重要的筹码,那两枪很可能是枪杀了女人质。

现在只剩下一件事:用最小的代价,攻进去。

第一步是火力压制,老潘他们找来了局里全部的库存催泪弹,20多发,就从曾老板撞开的那个窗户打进去。

窗口冒出来的烟越来越浓,但别墅里却格外寂静,没有一点响动。

这太反常了。

老潘开始怀疑,"鬣狗"是不是已经在屋里自杀了?于是派两组特警靠近别墅观察情况。

特警队员们一步步靠近,没有声息,再一步,依旧没有声息。突然,枪响如惊雷,对方从窗口开枪,试图攻击正在靠近别墅的特警队员。

围攻金沙度假村已经整整一个晚上,参与行动的所有警察都红着眼睛,绷着神经,甚至压着怒火等待最后强攻的指令。但没有人想到,最先打响这一枪的居然是匪徒,杀害了3个警察兄弟,现在嚣张到冲特警开枪的匪徒。

刚靠近的特警又撤了下来,队伍里,不知道是哪个兄弟忍不住对着别墅还击了一枪,随后,枪声就像是过年时燃放的鞭炮，响声连成了巨浪，冲刷着现场每个人的耳膜和内心。

听到自己兄弟放枪的瞬间，老潘第一时间控制住了要开枪的本能。但耳边不断传来的枪声里，他想起了自己那两个牺牲的兄弟。

"这时候不开枪怎么对得起他们！"老潘脑子里这个想法战胜了一切，这些日子的焦虑、愤怒，都在那一刻随着子弹飞向了匪徒。

同样在队伍里的章法医也控制不住地向晨光中的别墅开枪。追凶四载，就用自己放出的第一枪做个了结吧。

对讲机里传来局长的大声嘶吼，他试图阻止大家射击，但这个时候，在连绵的枪声中，几乎没有人听得到。也许有人听到了，但是谁又甘心停下来呢？

枪声终于停歇下来，因为几乎所有人的弹夹都打空了，甚至有些警察的备用弹夹都打空了。

屋内已经没有活人，女人质早已被匪徒枪杀在卧室墙角，身中两弹。经技术鉴定，两弹均来自"鬣狗"的手枪，就是那把酿成大发市场旧案、403枪案的枪。

而抵抗到最后的"鬣狗"，为了躲避催泪弹，躺在两张床之间的地板上，枕头捂着嘴巴，身上布满弹孔，手里仍握着手枪。

金沙度假村的枪战结束之后，老潘他们根据唯一幸存匪徒"狒狒"的口供，在广西找到了最初贩卖枪支和弹药给"狮子"的人。

那把杀害9人、酿成5起血案的枪，当时的售价仅仅是800元。

老潘告诉我，403枪案是他从警以来牺牲警察最多的一个案子，最后决战也是出动警察最多的一次，包括特警、刑警、巡警、武警，甚至民兵，超1000名警力。枪战历时6个多小时，共用了2000多发子弹。

从1996年年底开始，随着《中华人民共和国枪支管理法》的实施，全国范围内开展了多次专项行动，陆陆续续清缴了各地的非法枪支。

枪案越来越少，民间流通的制式枪支和仿制式枪支几乎完全绝迹。我工作以来只经历过3起枪案。

前两个月，一个老前辈还传了一张人体损伤照片给我，让我分析致伤工具是什么。我看了半天，愣是没看出那是一个子弹造成的擦伤。

这对一个法医来说或许有点惭愧，但却是这个时代的一种幸运。

# 11

## 天字一号案

案发时间：2011年12月

**案情摘要：** 滨江花园小区发生一起入室杀人案。

**死　　者：** 房主

**尸体检验分析：**

身着睡衣，手脚被绳索捆绑。头部持续类伤，颈部被砍数刀，深达颈椎。

每个案子都有自己的"命"。

2011年年底，我所在的辖区接连发生3起命案。先是一名女中学生失踪，3天后，我们找到女孩时，她已经变成一具浑身赤裸、严重腐败的尸体。没过半个月，一个六旬老人，大早上被人砍死在自家经营的诊所内。

这两起案子的发生时间相近，案情复杂，一直找不到突破口，局长直接在市局的年底总结会上吃挂落儿。

我们每年12月25日统计一年的案件数据，在命案必破的今天，这个"成绩单"意味着很可能会被省里点名批评。这要是再来一起大案，压力实在太大了。

但"天字一号案"就像是卡着点一样来了。

它一来，牵动了公安局上下所有人的精力，折腾了我们整整10年，占据了我迄今为止法医生涯的二分之一。

当时，"天字一号案"发生不过半个月，窒息的气氛就笼罩了所有人。队里没人开玩笑，局长天天来办公室"督战"。桌子上堆了厚厚一沓纸，全是从视频里截取的低画质图像。每个经过的人都会拿起、放下，下意识摇头。画面模糊到只能看到像素块，但那几乎是离凶手最近的线索。

谁也没想到，这样让人绝望的状况持续了将近5年。直到2016年8月26日，各大新闻网站的头条被同一件事占领——曾经名列中国十大悬案的"甘肃省白银市连环杀人案"历时28年告破，强奸、杀害了14名女性的嫌疑人高承勇落网。

新闻发出的第二天，刘队把我叫到了他办公室里。刘队是和我同一个学校毕业的法医师兄，也是我们技术队的副大队长。"甘肃的兄弟能行，我们这个案子肯定也能行。"刘队语气坚定。

我抬头，几乎一瞬明白了这句话的信息："白银案"首创的破案方法，"天字一号案"也能用。我们几乎喜极而泣。

最初，"天字一号案"还叫"滨江花园案"，因为案发地在滨江花园小区。

滨江花园号称我们这儿最安全的小区，隔着一条小河，斜对面就是最大的街道辖区派出所，一两百号警察在那里上班，整天都有警车经过。离我们局也近，开车最多5分钟，不少同事为上班方便都选择住这个小区，光我们刑警队就有4个兄弟住在那儿。

2011年12月25日，我刚到办公室，凳子还没捂热就接到了技术队刘队的电话。

这会儿来案子，除非当天破案，不然加上那两起悬案，今年年底的报表铁定不好看。

但我直到提着物证箱出门时，才意识到问题的严重性，办公室里就剩一个女法医了。

"滨江花园有个大案子，去两组人了。"她在我身后喊了一句。

滨江花园,听到这个名字,我心里就暗道不妙。

在那儿犯事,等于是在几百号警察眼皮子底下玩花招,谁会这么干?又是什么样的案子,能让所有警力都扑过去?

就像每个人出身、经历各异,案子也各有命数。"出身"在滨江花园,我预感这案子不会小。

而事实证明,我的预感应验了。

车子刚停在小区门口,我就瞧见胜哥正在问小区保安情况,他脸上胡茬都冒出来了,估计是又熬了一宿。

"你们不是号称最安全的小区吗?就这几个老头子能看好这个小区?"胜哥拍着桌子训斥小区的物业主管。

本以为这个小区保安众多,进出登记完整,但问完主管才知道,小区总共17栋楼,夜班就只有6个保安在岗,而且都是五六十岁的半老头子。

小区一共3个门,6个保安分两班,也就是说,同一时段每个门口只有1个人看门。

对照高档小区的安保标准,差得不是一星半点,名义上的夜间巡逻,也根本是形同虚设。

物业主管边强笑边解释,物业费一直没涨、这次的情况纯属偶然……

"那监控总没问题吧。"

"没问题,绝对没问题,每个门口的监控都是好的。"

但胜哥眼珠都快贴到屏幕上了,还是觉得图像中的人模糊不清。

"你们这是什么时候安装的监控?"

"2003年啊,我们小区建成的时候就安装了。"

2003年,监控设施还极不完善,一是覆盖不全,二是摄像头普遍像素很低。这种情况下,出现命案是一件非常可怕的事,因为看不清那个丧心病狂的家伙长什么样。

如今,视频监控技术有了质的飞跃,没想到滨江花园完全没赶上,仍然用着2003年的摄像头。

如果一个案子的命运有无数个分岔口,那滨江花园案在第一个分岔口就走错了。

几分钟后,我来到小区一栋靠近山边的楼前。

监控显示,今天凌晨5点,嫌疑人穿了一身黑衣,低着头,整个人像被包裹在一团黑雾里,慢慢从这栋楼的楼道里探出头来。

大楼的第十八层,此时走廊上密密麻麻站着十来号警察。

1801房显然是中心现场,门厅里满是交错的带血足迹,刘队就站在客厅中间,眉头紧皱。

作为技术队的带头人,刘队永远是满脸严肃的样子。他身形消瘦,常年留个寸半头,只站在那儿就有一股说不出的威严。

见了我,他赶忙示意我去外围取物证,我放下箱子,排开人群,沿着消防楼梯上散布的血迹往下走。

楼道里的血迹也不少,明显都是一趟形成的,从血迹形态来看,是有伤者从楼上跑下去过。

我沿着血迹下了一层半楼,凑到窗边,那里正对着一个空调主机,满是灰尘的机箱顶端印着一个清晰的足迹。

这很可能是凶手留下的。

足迹通向17楼的大阳台,再往上一层就是18楼的中心现场。

我赶紧折回1801房，阳台边果然也有新鲜的攀爬痕迹，看来凶手就是通过16楼中间的空调机箱爬上去的。

栏杆上没有绳索的痕迹，凶手应该是靠徒手攀爬。这么高的距离，如果摔下去，绝对粉身碎骨。

"1801"这间屋子里到底有什么东西，能让凶手这么拼命？

从阳台进到主卧，一个中年女人陷在床里，鲜血染红了大半床铺。她头部的血顺着脸颊往下流，与颈部的血痕连成一片，这里应该是她的致命伤，一截脖颈被砍数刀，每一刀都深达颈椎。

她的一双手脚被绳索紧紧缠住，我几乎能够想象出她死前挣扎的模样。

我注意到女人身上只穿了一件真丝睡衣，没有穿内衣裤，显然是熟睡状态遇害的。

死者的丈夫贺明和保姆还在医院救治，两人暂时没有生命危险，但伤势都颇重。

房间里倒是没有物品丢失，床头价值几万的手表，抽屉里躺着的翡翠玉佛，柜子里的金饰，以及保险柜里的几十万现金都丝毫未动。

相比之下，与主卧连着的客厅是一片凌乱，菜刀、洋酒瓶倒在地上，都是贺明家里的物品，凶手基本是就地取材。边上，一件廉价的黑色西装染着大量血迹，孤零零躺着。

第一次勘查结束，我们从中心现场带回了大量物证，有很多秘密正等着被揭开。

回到局里，我们首先对现场信息进行了整合：财物丢失不多，凶手没有携带凶器，加上明显的攀爬痕迹……

技术队很快统一了破案方向：凶手应该是个盗窃犯，初始动机就是偷东西。至于对女主人的捆绑行为，可能是想逼问钱财或者保险柜密码之类的，只是后续的发展让他来不及行动。

不久，DNA 检验鉴定结果出来了，有两件事引起了我的注意：

一是现场发现的黑色西装，上面同时检验出了凶手和被害人的 DNA。

最早报警的是男主人贺明，他从床上爬起来接着就跑出门了，不可能丢一件西装在客厅，这件衣服的主人应该就是凶手。

在衣服口袋里，我们翻出了 5 个抽过的烟头，都被掐掉了烟丝，检验出来的 DNA 和衣服上一样。

我把那几张烟头的照片找出来，摆到了会议桌中央，聚过来的人瞬间把我挤到了最外面。

一群老同事看一眼就能明白，这意味着什么——

凶手能够将自己抽过的烟头放回口袋，说明他对 DNA 是有一定认识的。

2011 年，DNA 检测技术还属于高级技术手段，一般只应用于省厅和发达地市的公安局，全国大多数市级公安局还没有自己的 DNA 实验室，就连白银市也是因为连环杀人案太过恶劣，才刚刚组建。

眼下这个凶手对 DNA 的敏感程度，不禁让我心口一紧。凶手很可能是一个盗窃的惯犯。

但这个想法很快被驳回了。

案子的命运很大程度上被握在破案人手里，但这些身处其中的人，每一个都有自己的角色和位置，往往很难在某个时刻统一想法。

几个小时后，局里召开案件分析会，胜哥所在的外侦队就对我们的分析嗤之以鼻。

"贼有必要等一晚上就盯着那一家人偷？最后还啥都没捞着？"

其实这种内部会议上，大家互相反驳是常事，外侦查案靠的是推理和经验，而我们更相信技术和数据，肯定会有想法上的冲突。

但胜哥这次的态度让我有些意外，我几次扭头看向他，他注意到我的视线，只是稍稍偏了一下眼神，连语句都没有停顿。过去他一向支持我的判断。

刘队在胜哥发言完毕后，又一次强调了我的分析，可刑警大队长吴大队显然更支持胜哥他们的看法。

每个案子里总有几个关键人物，他们出场，破案方向一拍即定，所有人都得一起努力去验证。剩下的，只有时间能给我们答案。

破案的期限卡得很紧，如果是寻仇的命案，受害人与凶手一方必定有直接或间接的仇怨关系，排查起来方便，破案也容易很多。相反，随机盗窃案里，凶手往往没那么容易抓到。

最后局长拍了板，侦查先按照"寻仇"的思路来。

贺明手术完，麻醉刚过没多久，胜哥就夹着书提着包，坐到了他的床边。

眼前的男人脸上留着一条爬满线头的伤口，像极了扭动的赤红蜈蚣，看起来格外狰狞。长长的刀伤划过左眼，他注定会有一只眼失明。

"我本来睡得很熟，忽然觉得头痛，一睁开眼就看见他拿酒瓶子砸我。"躺在病床上的男人一边讲，一边挥舞着裹满纱布的右手，大约是牵扯到脸上的伤口，他龇着牙，吸着凉气，整个脸庞越发扭曲。

被袭击的时候，贺明完全是熟睡状态，他条件反射地拿过枕头抵抗，直到房门被打开，刀光在刚进门的保姆身上晃过。

他连滚带爬地从床上翻下来，在客厅和追出来的凶手比划了几招后，捂着伤口一边大声呼救，一边跑出了大门。

凶手没有再追上来。

贺明强调，自己只是个简单的生意人，没什么仇怨。这话听起来半真半假。

胜哥查过贺明的关系网，包括他的妻子、合伙人，还有最常见他的酒吧经理，确实和他自己说的八九不离十，大家平日里都是和和气气的。

但他并非"简单的生意人"。

贺明，36 岁，是本地一家贸易公司的老板，但主要的收入来源其实是放贷，认识不少我们这儿有头有脸的人。

但贺明的高明之处在于，他只负责放钱出去，催收都是找其他人处理。也就是说，借钱的人可能知道贺明这样一号人物，却从来没有见过他黑脸。

这些年来，贺明公司里的几个员工，都是正正经经纳税交社保，他自己在档案上更是清清白白。

外侦力主的"寻仇"这条线索，到这儿，好像一下子断了。

就在胜哥急得焦头烂额的时候,我和队里的同事在现场找到了新的线索。

监控显示,凶手前一天傍晚就从小区的车库门进了案发现场那栋楼,比真正的案发时间提前了数个小时,但一直等到第二天凌晨5点才作案。

这一晚上,他到底在哪里,又做了些什么,这些问题必须得弄明白。

从16楼的楼梯间,到18楼的中心现场,有一个地方凶手必定绕不过去。

17楼。

这里很久没人住了,所有摆设和装修都很简单,临时赶回来的屋主也察觉不出是否有物品丢失。

我看了一圈,只在阳台的玻璃窗户上有一个明显的接触痕迹,可惜那个手印是戴着手套留下来的。

这再一次提醒了我,我们面对的也许是一个强劲的"对手"。

队里的痕迹员正比划着受力角度,我一抬头,发现窗户边的壁挂空调上有一个奇怪的东西,一条足有一米长的方形木棍,一端被刀削掉了棱边,形成了一个方便握持的把手。我用力抓住木棒挥了挥,重量适中,握持舒服,是个打人的好凶器。

痕检员站在窗台上,探手试了试,和我想的一样,这个高度很容易把木棍放在空调上。窗台上的灰尘也不平整。显然,这个木棍是新放上去的。

寻常的楼里不会有人放一根木棍,除非有一个地方,平日里就是木头扎堆——我想到了天台。

从消防通道的楼梯上去，通往天台的门上的挂锁是个样子货，用力一拧就打开了。

楼顶的几条木棍边上留着一些削下来的木屑，单凭肉眼也能轻易分辨出，正是木棍上新鲜削下来的部分。

隔热砖的缝隙里还残留着极少量的烟灰，加上地面散落的烟丝碎屑。这些和现场衣服口袋里的烟头，都对上了。

从现场勘查来看，事情已经非常清晰：凶手在楼顶待了一整晚，期间，他通过16楼中间的空调机箱爬到17楼，在那里转悠了一圈，发现没有收获，才上到了18楼阳台。

这就是一个小偷！

我们真得做好大海捞针的准备了。

数据比对是项大活，一时半会儿出不了结果，视频截图似乎成了最有希望的线索。

来回倒腾几遍后，凶手的样貌大致圈定：30岁左右的男性，体形中等、板寸头、发际线较高，身高在1.65米至1.68米之间。

但没有任何显著的五官特征，总结起来就4个字：路人长相。

茫茫人海里，上哪儿找一个"路人"？

按照惯例，一个案子的影响力一般在一周之后就会慢慢消退，但滨江花园案成了特例。

一个重要的原因就是贺明。

通常，受害者很难在一桩案件里掀起多少风浪，但贺明背后的"小动作"让案件走向一下子变得很复杂。

他不断在自己圈子里放出案件消息：只要有人能够认出凶手，奖20万元；如果抓到人，直接给50万元，生死勿论！

这个时候我们局里还没有发悬红，贺明私底下给出这样高额的奖励，多少让局里上下脸面无光。

一个案子究竟能走多远，走成什么样子，我们并不是唯一的判定者。案子被推着往前走的时候，人也在被各方力量不断拉扯。

贺明的一番操作见了效。

先是局长在年底的各种会议上被大小领导追问滨江花园案的进展。他每次被问到无言以对之后，就回来给我们开会。

吴大队几乎没有离开过局里，每天一大早就拿着保温杯坐进办公室，不管是技术的分析会、外侦的汇报，又或者情报的研判会，他都去旁听。

办公室里每个人都精神紧绷，1998年的白银市公安局仿佛重现。

当年，白银案凶手连杀四人，连轴转的警察们靠着茶、烟、饼干加咸菜控制情绪，维持体力，去送换洗衣服的警属眼看着警察们身上的警服慢慢变得松垮，整个人"小"了一号。

整队人蓬头垢面，案件资料摞得到处都是，5部线索征集电话立在屋子中央，响个不停。虽然大多数线索没有派上用场，但越来越频繁的电话声像是某种宣告：门外的恐慌、不满已经快要烧起来了。

不仅是我们办公室，这座城市都被滨江花园案的威力卷了进去。

往常的年底，按照广东的习俗，家家户户都要准备年货，各种户外大屏上也会反复播放喜气洋洋的新年广告。

但那一年,局里给滨江花园案的凶手发了10万的悬红,各大电视频道、报纸,甚至网吧的电脑上,都是视频截图里案犯那张灰白色的脸。

镇上所有的高档小区都在忙着加装防盗网,本来应该回家过年的安装师傅硬是被排满了工期。

本地人见面,互相问候完,紧接着的话题就是"你知道滨江花园那个案子吗"。

直到许多年以后,我仍然很难想象,2011年年末同期发生的3个案子的命运,从那一刻起,因为一个贺明,发生了天翻地覆的变化。

大家只记得"滨江花园案",只谈论贺明一个受害者。

我第二次见到大家话题里的主角,已经是半年以后。

贺明脸上的伤口完全愈合了,只留下浅浅的疤痕,当初破碎的眼球也换成了义眼。那个义眼活动自如,只有仔细观察时,才会发现瞳孔根本无法变化,那只是一个能够映射物体的高分子球体罢了。

检查完,我正准备收拾验伤工具,贺明盯着我问道:"已经半年了,案子是不是破不了?"

我停顿了一下,清晰地感觉到他低沉的语气里满是压抑着的无奈和愤怒。

这半年,贺明一直试图用自己的影响力和人际关系,推动案子往前走,但滨江花园案的命运没能如他所愿。

那些过去被贺明用作释放情绪和压力的途径,随着时间流逝,也成了谣言乱窜的渠道。案子发生后,外面闹出了各种风言风语,有传他私生活混乱惹出的事情,也有说他贪了其他金主的大笔资金才被人报复。

贺明自己也开始怀疑，是不是真的在什么时候得罪了人。合伙人觉得放贷惹来的麻烦太多，从此和他断了来往。这下贺明的贸易公司，真的只能做点小买卖了。

这个案子不仅摧毁了他的家庭，也撕裂了他的人际圈、生活圈。真是世事难料。

老局长在2014年退休了，离开前的最后一次专案组会议上，他留下一句，或许自己真的不适合管刑侦，这些年来那么多案子都没有搞定。

老局长的语气里满是失望。我们都知道他说的是哪些案子，光2011年就有3起未破命案，最讽刺的就是滨江花园案——这大概是唯一一个翻过年后又重新成立专案组的案子，但历时3年，仍然毫无进展。

身为同行，我们都很清楚，当一个退休警察得知自己追凶多年的案子终于破获时，第一反应常常是羞愧、自责，而不是开心。

甚至有一部分人，他们可能等不到破案的那一天。


与此同时，远在2000千米之外的甘肃省白银市，警方正面临着一项几乎不可能完成的任务：把一名普通男子的DNA，和11起连环杀人强奸案的凶手相匹配。

那段日子有多疯狂，即便是今天，在当地随便找一名成年男性，对方也能和你说上几句。

白银市总共采集23万个指纹、10余万份血样。除了违法犯罪人员，还有一切和凶手有部分相似特征的男人。

这样的采集量在我国刑侦史上都极为罕见。

2015年，对白银案来说是很关键的一年。公安局转换办案思路，开始加强DNA数据库建设。

同一年，在广东，我们的滨江花园案也出现了巨大转折，但却是截然相反的转折。

吴大队转去了政工室，专案组彻底解散了，案子侦破开始变得遥遥无期。

我和胜哥、刘队也都有了新的工作，刑警队不仅要管杀人放火的命案，其他盗窃案、诈骗案、贩毒案同样要管。滨江花园案得为更多新案子让出一条路来。

直到2016年8月，我突然接到消息，甘肃白银案侦破了，突破口是Y染色体。Y染色体为男性独有，来源也是唯一的——通过父系遗传。同一个男性祖先，他的男性后代会有非常相似的Y染色体数据。越是关系接近，Y染色体相似度越高。国内起名，基本都是按照男性姓氏冠名，也就是说同一个姓氏的男性，Y染色体数据会非常相像。

这个发现带来的惊人效果是：以往进行染色体比对，只能被动等待案犯再次进入警方视线。对方不再犯案，不被警察发现或是没有被取到DNA数据，我们就很难比中发现他。但现在我们可以通过比对凶手留下的染色体数据，分析寻找出他可能所属的家族。

等于从被动等待变成了主动出击。

白银市的DNA数据库建设完成后，将采集到的指纹、血液样本全部重新检验了一遍，再录入库中。案子终于出现了转机。

2015年下半年，犯罪嫌疑人的一名亲属因为违法犯罪，被划进了采集范围内。

很快，技术人员发现这名亲属的 Y 染色体信息与杀人凶手完全比中。

排查进展到这一阶段已经看到了曙光，但紧接着，专案组就要面对分散在全国各地，属于该 DNA 家系的 10 万名成员。十万里挑一，就像在一片广袤的森林里找一棵普通的树。大家兵分几路，从整个高姓家族及其近亲成员查起，经过不知道几轮排查后，最终摸排到住在白银市一学校小卖部里的凶手高承勇。

这是国内第一起靠 Y 染色体破获的案子。

白银案告破的第二天，我和刘队在办公室里见面，那一刻，我们俩已经达成了新的默契：不就是 Y 染色体嘛，我们这案子最不缺的就是 DNA。

时隔近 5 年，重启调查，滨江花园案好像真的"命不该绝"。这种感觉就像是看着早已冷却的灰烬，拨开表面才发现，里面还有滚烫的火星。

现在，白银案把这堆灰烬点燃了，我们就不会再轻易让火焰熄灭。

当天上午，我就去档案室把滨江花园案的档案和物证都借了出来，连夜把凶手的 DNA 家系数据做了出来。当时 Y 数据还没有全国联网，只能一个地方一个地方地跑。为了滨江花园案，法医出差查案成了我们这里破天荒的事。

我们先是去了甘肃、北京，后来听说河南、山东的 DNA 数据多，紧跟着又去了这些地方。

当时央视有一档非常火爆的节目叫《挑战不可能》，里面有很多行业内的专家。刘队笑着说，要是能请到李昌钰，可以让他也看看咱这个案子。

2017年7月,白银案破获近一周年,我和胜哥终于在上海比对出两个和我们掌握的嫌疑人数据很接近的人,分别是吴姓和黄姓,湖南省涌州市人。

这是我们第一次得到有明确指向性的线索。

但因为技术所限,当年检验试剂盒只能验出十几个Y染色体位点,数据的特异性不是很高,小范围排查可能有用,在大范围内就比较难发挥效用。

我有些担忧地和刘队说,这个指向未必是对的。

刘队靠在椅背上,沉思了一会儿,说:"可这是唯一的线索。如果没问题,明天你就去趟涌州。"

入行10多年,我第一次坐6个小时的车去查案。到了当地,我们又多绕了两圈,才找到住的地方。那是整个县城里唯一一家能够刷卡,开正式发票的酒店。

涌州市内多山,这座县城是为数不多的平原地区。但等我们进到村子才发现,这里同样留不住人。村里的青壮年大多去了广东打工,他们把孩子留在村里,由老人看管。

比中人员黄某家里也不例外,父亲已经过世,母亲接近70岁了,倒是能听懂普通话,见到我们也挺热情,但她一张嘴,一口方言,我们直接愣在原地。

胜哥笑着挤对我,来的路上我才吹嘘,四川、湖北、湖南的地方方言都有些类似,作为四川人我应该可以听得懂一些。

结果不要说我,就连陪我们入村的治安员听起来都异常费劲。

现实里的查案过程就是这样,我们可能会被很多本来没放在眼里,甚至完全没想到的小状况卡住。这之于案件整体的命运走向，只是很小的一步，那时那地，却是横亘在我们眼前的全部。

回到酒店，胜哥和前台聊了几句，说起我们听不懂乡下的方言，前台笑着说，这边的方言确实难懂一点，但是听久了也不难。得知她第二天刚好休息，胜哥干脆邀请她出任我们的临时翻译。

等我们在她的协助下，"听懂"了家属的话时，案子一下出现了惊人的转机：黄某居然不是黄家的亲生儿子，反倒是从一个吴姓家族抱来的。

也就是说，被我比中的两个不同姓氏的嫌疑人，本质上还是同一姓氏家族。说起来，两家甚至有些远房亲戚关系。

吴姓家族的嫌疑陡然升高，我们好像终于离凶手进了一步。

我们甚至有了新的工作代号。

2017年，公安部开会要求全国范围集中清理命案、积案。这项任务并不算入年底绩效考核，所以省内很多地方没有专门做这项工作。可刘队在会后留住了大家："别人不搞，我们也要搞，不仅要搞，还要大搞！"

这一天，他给清理旧案的工作取了一个代号：破晓行动。

滨江花园案因为时间跨度长、侦办难度大、影响深远，成了破晓行动里名副其实的"天字一号案"。

从涌州回来，我们带回几十个吴姓家族的样本，之前的悬红通报，也发到了涌州下面的各个乡镇和网吧。

这下，天字一号案彻底走出了广东，它的路好像越走越宽，很多涌州的同行也听说了这个案子。

可惜我们自始至终没有发现明确和凶手相关的样本。

随着调查范围不断扩大，我意识到了最关键的问题：吴姓在当地也算大姓，加上周边几个县，至少好几十万的同姓人员。我们的检验条件和试剂数量，根本做不到锁定某一个家族。

"试剂和技术都不够？"刘队有些生气，劈头盖脸地训斥了一通，"不够你就找省厅，找公司，有困难就解决困难。"

联系生物公司买了新试剂之后，更多DNA数据被检验了出来，这次的结果打了我们一个措手不及：凶手的数据和吴姓家族的差异竟然非常大。

两大姓氏同祖时间超过2000年，在这个时间跨度上，当地人经历过极大规模的人口迁徙，根本没法溯源，凶手甚至可能不属于这个地区，也就是说我们前期的调查有可能是完全白费工夫。

我大受打击，劝胜哥也放弃吴姓家族这条线索，这根本没有意义。刘队坐在办公室的旧沙发上，端着我递过去的茶杯，慢慢地抿，直到滚烫的茶水都变凉了，他才放下水杯，说："再跑一趟试试。"

又一次到涌州，DNA比对仍然没有进展，我和胜哥打算换个思路，翻查当地的盗窃案，也许有能对上凶手足迹的。

这天，我们俩刚准备结束一天的比对工作，涌州的痕检技术员刚好经过，他凑上来，半是好奇半是打趣地问我们："有没有什么发现？"

我无奈地摇了摇头，把手里的照片递过去。对方盯着照片上的足迹看了一会儿，忽然抬起了头，说："这个鞋子有点眼熟，前几年我们这边有挺多这种鞋印的现场。"

我和胜哥眼睛都亮了。还真是人多力量大，这几年算是没白带着"天字一号案"到处流浪。

出了公安局，我们赶忙去了当地的鞋店和鞋厂，几个老板都给出同样的信息：这个鞋底是由本地一家专做鞋底的厂家生产，销售范围集中在涌州地区，很少销往外地。这至少说明，凶手老家应该就在这边，才会在这里买过鞋子。

案件好像一下子有了转机。

这几年，我们带着"天字一号案"全国各地跑，光涌州就不知道去了多少趟，整个刑警圈子几乎也都对这起案件有所了解。这案子的命运仍然被拽在我们手里，但好像也因为我们投入的所有人力、物力、财力，与更大的世界紧紧连在了一起。

从最后一家鞋厂出来，天色已黑，我和胜哥回到县城，找了一家路边的小饭馆吃饭。看着窗户外面并不繁华的街道，胜哥把车钥匙丢给了我，今天的调查结果值得喝两杯庆祝一下，哪怕没有人作陪。

两个啤酒罐子一碰，我和胜哥难得一起笑了。我们好像习惯了"天字一号案"在身边，会因为它的突破而开心，因为它的受阻而失落。

我太想快点陪着它走到终点，看看它真正的样子，看看我们一起努力过的这些年，究竟能开出怎样的花，结出怎样的果。其实每一次庆祝，或者颓败，我们都不是"没有人作陪"。

鞋底的线索出来后，我们马上遇到了一个最现实的问题：经费不足。几乎每一个案子都逃不脱人力、物力、财力的限制。这些因素无法直接给案件命运下定论，但它们像一张无形的网,决定了整个办案过程有多大的伸展空间。

曾经,贺明是那一张"网",他主动投入财力,撬动了局里大部分的精力,把办案空间拉得很大,但他也不是决定能否破案的那个人。

涌州当地对近些年盗窃犯的DNA样本尚未采集完全,进度条就卡在了经费上,有部分样本甚至没有来得及检验。

除了钱,还缺时间。即便预算有保证,检验完所有样本至少还要一年多。

我把这个情况告诉刘队之后,他坐在那儿,全程一句话也没说。

这么多年过去,我已经很习惯他的沉默,那里面往往有让人安心的力量。我坐在一边,等着他开口。

"要不联系当地公安局,协助对方把这些样本都检验了?"我愣了一下,没料到他会是这个想法。

协助对方全部检验?这意味着光检验样本、整理数据就会花掉我们近百万元。

面对一笔近百万元的巨资,刘队在几分钟内就做出了选择,这个选择背后压着多重的担子,我并不能完全体会。但看着这个大我没几岁的师兄,刚刚四十出头,已经半头白发,我就知道无论条件是什么,他都不会放弃"天字一号案"。

我们局虽然位于经济发达地区,但实验室的经费几乎每年都不够。一般到了10月份,我们就会欠耗材公司的钱,后面两个月基本靠赊欠。

这个案子前前后后出差的次数也不少,现在贸贸然又要额外拿出上百万的资金,绝不容易。

意外的是,第二天,局长竟然"轻而易举"同意了这个冒险的想法。

拿出近一年的耗材经费，压在"天字一号案"上。不得不再一次让人感叹"天字一号案"的"命"真的硬。

同时期发案的另外两起仍没有进展，但某种程度上，"天字一号案"已经和我、胜哥、刘队，甚至是整个刑警队的命运捆绑在了一起。

扛着这份重任，2018年年底，我和胜哥再次来到涌州。住进第一次住宿的那个酒店时，我们发现之前熟识的那个前台不见了，她的同事告诉我们，她回家休产假了。

那一刻，我才意识到，我们在这个地方已经兜兜转转快两年了，当初刚工作还没谈恋爱的人都生孩子了。

每天，我和胜哥照样干日常工作，但只要DNA检验有新的反馈，我们就像蜜蜂闻到花香一样，立马飞扑过去。

除了吴姓，我们又排除了好几个随机比中的家系，有的是因为入赘改姓，有的是因为领养孩子，各种情况反反复复，直到一个新的杨姓家系信息出现。

它比之前所有进入过我们视线的家系，都更加接近。

命运仿佛总爱和人开玩笑。

因为局里的一些工作安排，我和胜哥不得不提前离开涌州。那段日子，我和胜哥情绪都不高，尽管知道这种"小插曲"出现在办案过程里，再正常不过了，但我仍然会为"天字一号案"鸣不平。

我们像是停在了离破案最近的地方，也许只差几步。

就在这时，我收到了一个让我振奋的消息——"27号命案"的嫌疑人找到了，依靠的就是Y染色体的比对。它算是我职业生涯的"一号案",也是我手里第一起靠DNA破获的积案。

白银案、"27号命案"……好像每破一个案子就是在这条路上立起了一块路标,白银案是第一个,"27号命案"就是第二个。

在这条路上走久了是会怀疑的,怀疑自己,怀疑一切,但这一个个路标就是最好的加油站。

我希望"天字一号案"会是下一个。因为只要一直有路标,就一直有在途中奔跑的人。

我恨不得立刻就跑去涌州,但现实是,我在心里念叨这一天念了足足两个月,我和胜哥才终于等来出差的机会。

这次出去前,胜哥调取了涌州地区所有的户籍资料,整理后,筛选出符合凶手年龄段的杨姓人员,列了一张表。我几乎可以确定,凶手就在这张表上的几千人里。

结果,到达涌州第二天,我们刚在村里找到杨家的族谱,胜哥就接到了队长的电话。

胜哥这个在刑侦大队待了十几年的老家伙,要在两天后,到治安大队报道。

从入行开始,胜哥就待在外侦队,一干就是15年,他一直觉得自己是绝对的主力。虽说轮岗是大调整,但他总有种"被嫌弃"的感觉。

我知道他很不想走,但很多时候,调令是个人无法抵抗的。我理解胜哥对这份职业的责任感,我也清楚,"天字一号案"对于他的意义有多大。

这么多年下来,从最初一趟一趟熬人的侦查,到因为白银案重燃希望,再到现在,走到哪儿我们几乎都带着它,"天字一号案"就像我和胜哥的一个老朋友。

这个案子从哪儿来的，如何走到今天这一步的，我们比谁都清楚，也最关心它最终要落在何处。但偏偏，胜哥得在这一步，停下来。

离开那天，胜哥遗憾地在当地村委门口拍了一张照片留念。那是他最后一次带着"天字一号案"去涌州。

一般来说，时间拖得越长，破案的不确定性就越大，如果办案的核心人员出现变动，对案子来说只会雪上加霜。眼下我面对的正是这种情况。

胜哥走后，我和新搭档又去过几次涌州。但就像我惯用的 24 号解剖刀一样，换刀如换手，我们之间还缺少一点默契。

胜哥列的名单被锁进柜子里，完全被弃用了。在新搭档眼里，我们查了几年都没有查到，思路未必正确。

破案方向改成了入校调查，从凶手或他近亲属的孩子查起。因为入村调查村民配合度比较差，大规模采集 DNA 样本容易引发大量投诉。而查孩子有学校和老师的协助，配合度高，工作也好开展。

但我没有再和他们一起出差。在我看来，这不是个聪明的做法。凶手正值壮年，他很可能不在本地生活而在外地打工，那他的孩子很可能也不在家乡上学。说得再极端点，如果他没有孩子，那采集再多学生的样本也是无用功。

这一查又是一年。

"破晓行动"让一大批陈年积案的真相陆续浮出水面，作为头阵的"天字一号案"却始终停滞不前，成了那个孤零零的"一号"。

我想象不到，下一个属于"天字一号案"的机会什么时候会来，或者，还有没有。

10年过去，"天字一号案"仿佛成了那个一开大会，就势必会被拎出来当众数落几句的"差生"。大多数人都觉得这个案子差了几口气，只有我、胜哥和刘队知道，"天字一号案"能走到今天，使了多少劲。

每当我以为它快要走不下去的时候，它总还能坚持着多走几步。

其实，"天字一号案"也在用它的方式支撑我们。

2020年春节，疫情肆虐全国各地，所有人的生活节奏完全被打断，这座城市需要我们站出来守卫它。

本来安排好的春节轮休全部取消，从正月初一开始，我们就全员回单位上班，检查入境车辆和返工人员，接着又轮流在高速路服务站点和临时隔离酒店执勤。

等过完正月，防疫工作告一段落，我们的工作也清闲了不少。人人在家隔离，大街上连个人影都很难看到，想犯案的也是"心有余力不足"，90%的常规案件都没了。

全区召开了开年后的第一次刑侦工作动员会。

会后，分管刑侦工作的吴局叫了队里几个案件经办人一起碰头。

"天字一号案"刚发生时，吴局还是吴大队，现在他副局长都干3年多了。通常来说，局长满5年就要调整岗位，这可能是他最后一次对"天字一号案"负责。

会议室里安静得只能听见呼吸声，吴局坐下来，他那张熟悉的国字脸不再像当年一样紧绷，几道又宽又长的皱纹拉松了皮肤，早年明亮的眼神也变得浑浊、黯淡。他好像也跟着"天字一号案"一同苍老了许多。

"案子到底有没有进展？"吴局一声吼，打破了静默。

白银案追凶28年，公安局换了8任局长；"天字一号案"的这10年，正局长也换过4个了，每一个人都盯着这案子。如果说有进展，是因为我们已经向凶手走了很多步，但没有人知道，什么时候才会是最后一步。

"我说不定明年就不管刑侦了，今年要是破了案，我们开开心心把老局长的那瓶路易XO喝了。"吴局放缓了点语气。

2012年，老局长留下一句话："春节前把案子破了，我给你们留一瓶路易XO。"

如今，这句承诺还在，说话的人已经不在这里了。

在无期命案面前，一个警察的职业生涯、甚至整个人生都非常短暂。白银案的28年命数里，等到终于破案那一天，有的人退休了，有的转岗了，还有的老警察只剩下一张泛黄的警官证。

"到了年底，还不破，你们就都别干了，我换能干的人上。"吴局最后发完话，离开了会议室。

会场上的领导里，属刘队最过意不去。他知道吴局的意见很大部分就是针对自己，毕竟他是唯一一个从头到尾都跟着案子的人。

会议结束后，刘队单独把我叫到办公室，他疲惫地靠在椅背上，桌上烟灰缸里已经摁掉了五六根只抽到一半的香烟。

"我立了军令状，'天字一号案'今年必须破。"

刘队让我回去再想想办法。

可案子查到现在，到底还有什么办法没试过？

我打开电脑,熟悉的一切扑面而来,密密麻麻的数字,我点着鼠标,在一个个数字间挪动、比对。

和"天字一号案"共度的这些年,这个过程就像吃饭、睡觉一样,已经成了我生命的一部分。5万多条随机比中,要怎么才能把人揪出来?

我想起胜哥的人员列表,那个锁在柜子里已经搁置了大半年的表。

依照前期调查,我将几项嫌疑人信息交叉比对之后,标出了4个重点人员。

突然,一条信息让我瞬间神经绷紧。一个叫杨顺利的男性,六十来岁,他的染色体与凶手有一个非常少见的相似点,出现的概率只有不到万分之一。

我连忙给深圳DNA实验室的同事打了个电话,他们刚好在处理一起命案,正安排人加班检验。我拜托他们帮忙补充DNA数据,顺利让数据复核搭上了最快的顺风车。

挂了电话,我赶忙把这个消息告诉刘队。

"你有多大把握?"

"不知道,这种盲比的,只能等明天的结果。"其实我心中满是期待,但是真到了要肯定答复的时候,我也有些忐忑。

"要不要我们开车去把样本取回来,今晚加班处理?"刘队突然来了一句。很快,还没等我应声,他自己意识到了,那也是明天早上才能有结果。

"还是等吧。"

那晚,我回到家,满脑子都是"天字一号案",贺明的义眼,还有那些血衣、烟头、皮鞋,翻来覆去像放电影一样。

10年了,我第一次因为这个案子失眠,在谜底揭开的前一天晚上。

就在一个多月前,"南医大强奸杀人案"的凶手被抓获,这个案子与白银案一样走了二十八载,最终停在凶手的那枚Y染色体前。

"天字一号案"要走多少年?没人知道,但用这个方法破掉的案子越多,这条路上的路标就越多,只要我们不停下,总有一天,我们当中会有人带它跑到终点。

凌晨3点,我迷迷糊糊睡着了,再醒来,手机屏幕正亮着,杨顺利的检验结果出来了。

我深吸一口气,看了眼前一天找出来的凶手档案。牛皮纸袋的四角早已被磨出毛边,我拿出纸袋里的DNA图谱,它也露着几分陈旧。

上面有许多被擦掉的铅笔字印迹,是前几次手工比对时留下的;旁边落着两滴茶渍,我记得那是一次晚上加班不小心弄上的;这一张还是去年年中重新打印的,它的前几任早就报废在了垃圾筒里……

原来从白银案破获到现在,也过了这么久了。我像看着一个老朋友一样看着它,我熟悉它的一切。

我捏着图谱开始对照,一遍结束后,我端起茶杯,猛地喝了口,嘴里立马像被烫出了泡,我才意识到茶水是刚沏的。

我手忙脚乱地吐出茶水,稳定了一下情绪,又拿起铅笔比对了一遍。

放下笔,我拨通了刘队的电话,我听见自己用尽量平稳的声音说:"杨顺利和凶手很可能是父子关系。"

杨顺利本身没有犯罪记录,16年前他被人偷了东西,报案后因为要比对盗窃案现场遗留的DNA，才留下了他的样本。

好像每个案子都会遇上运气，16年前的一个偶然事件，为"天字一号案"争取到了最关键的机会。

但运气的前提，很多时候是大把不计回报的付出。

这一次，我们终于追上了凶手的脚步。

2020年3月的一天，晚8点，正值疫情期间，深圳街头空无一人。我和同事隐身在一条冷巷子里，眼睛一眨不眨，直盯着不远处的一家临街店铺。那里的二楼正亮着灯，门边放着一袋垃圾，明显是有人居住的状态。

我们此行最重要的任务，是拿到一份DNA样本。

杨湘军，杨顺利的儿子，临街店铺的主人，就是我们的采集对象。

同一时间，刘队正带着一个外侦兄弟赶往涌州。我们需要确认杨湘军是否是杨顺利唯一的儿子，这决定了他是否是"天字一号案"唯一的嫌疑人。

我们在等刘队的答案，有消息前，领导让我们看好环境就行，不要有大动作。

但就这样离开我实在不甘心，又盯了一会儿，我选择从门口拎走那袋垃圾。

贼不走空，我也不能走空。

一整个晚上，我都在DNA实验室对着一袋垃圾反复翻，快到天亮时才确定，它与杨家扯不上一点儿关系，也许是邻居留下来的。

另一边，刘队大清早就进了村，因为和涌州公安局有过多次合作，他很快就找到了村主任和杨顺利本人。

户籍上显示，杨顺利只有杨湘军一个儿子，但村主任说杨家好像有两个孩子。

最后还是村支书找到杨顺利家一个堂兄，确认了杨顺利还有一个小儿子，叫杨勇军，当年为了逃避计划生育政策没有登记。

刘队有些庆幸，还好没有让我们贸然动手，否则真有可能惊了凶手。

现在我们不仅要拿到杨湘军的DNA样本，还要找到他的弟弟杨勇军，两人都有重大嫌疑。

近水楼台，我们决定先搞定眼前的杨湘军。但怎么采集杨湘军的样本成了大问题，贸然行动很容易打草惊蛇。最后还是吴局拍了板："采，用防疫检查的名义采！"

一个小时后，我和同事穿着隔离服，戴上口罩，胸前挂了一个刚刚在彩印店印刷出来的防疫检查证。

我俩对视一眼，还真挺像那么一回事儿。

采集过程很顺利，DNA检验鉴定结果也很快出来了，杨湘军不是凶手，但他的DNA数据和凶手的很接近，两者很可能是兄弟关系。

除非杨顺利还有第三个儿子，不然凶手就是弟弟杨勇军。

同一时间，涌州杨村。

刘队在一本记录婚丧嫁娶的族谱里，找到了一处手写的黑色字样，位置刚好在"次子勇军"的配氏一栏：刘家莲，广东韶关人，1989年7月11日生。

两边消息一碰撞，我们通过分析杨勇军妻子刘家莲的各种社交软件信息，立马锁定了杨勇军的踪迹。他也在深圳，住在距离哥哥几千米外的另一个出租屋，平时没有固定工作，主要以打零工为生。

抓捕时间定在了周一下午，所有还在广东的外侦人员全部聚到了一起。

这是队里2020年第一次全体出动。

"天字一号案"该迎来它命定的结局了。

新任刑警大队长给这次行动的微信群取名"路易XO"，大家就等着凯旋回来，把那支老局长留下来的洋酒给开了。

抓捕当晚，我留在办公室等待外侦组的好消息，这时，手机屏幕突然亮了。

我点开消息，愣了一下。是胜哥，他给我发来一张照片，出租屋里，一个中年男人蹲在地上，被外侦同事摁着。我一眼认出，那就是杨勇军。

几秒钟之后，我们的"路易XO"群里出现了相同的照片。

按理说，这种级别的抓捕行动，不是案件小组的人不会知道相关信息。很快胜哥又发来一句：是吴局发给我的。

在吴局心里，胜哥一直是"天字一号案"的一份子。

群里的消息还在不停弹出，鞭炮、敬礼、掌声，各种五颜六色的动图铺满了整个屏幕。

放下手机，我拎着采集DNA的工具箱站到留置室门口。我准备好了，这个让我们追了10年的凶手，我要好好看一看。

没多久，一个男人低着头，从无边的黑夜里慢慢显形，来到留置室的灯光下。

他的轮廓和当年监控里的差不多，打眼看去都是一团黑影，但这一次，他身边的那一团黑雾被我们拨开了。

抓到杨勇军的当天晚上，我连夜检验了血样，终于在第二天早上5点多确定了，这人就是在滨江花园案发现场留下DNA的凶手！

走出实验室，天已经完全亮了，回头望去，淡蓝色的天空下，公安局大院里那棵木棉树开得好极了，满树都是火红的花朵。

点开手机，刚好看到胜哥发的朋友圈，配图就是大院里这棵木棉树，配文写道：一晃8年，离别成载，从此再无绣春刀。

"天字一号案"，他跟了8年，最后最重要的一刻他却没能在现场，警察生涯最大的遗憾莫过于此。

我给他的朋友圈点了个赞，留下一句评论："路易XO也有你的一份。"

在Y染色体这条路上，每个成功破获的案子都是一块路标，"天字一号案"这块路标，是我们一起立下的。

我们距离真相只剩下最后一环：他的作案动机到底是什么？

在整个审问过程里，犯下了这么一起大案的杨勇军也说不清楚，为什么当时自己忽然就变得这么凶残。

2011年，杨勇军四处打工也存不下钱，与此同时，母亲越来越频繁地催婚。一次他和老乡聊天，对方告诉他广州周边多的是有钱人。"随便弄一家，就够你吃半辈子。"

杨勇军听完立马上了心，又向对方讨教了一些心得，终于按捺不住自己，在12月24日这天来到了我们辖区。

听说望江的住宅都比较贵，有钱人多，杨勇军就沿着河边一路走，最后盯上了滨江花园。

进到贺明家的主卧后，床头就放着钱包和手机，杨勇军刚把钱包里的钱揣进口袋，贺明的妻子醒了。

女人刚要喊出声，杨勇军立马把菜刀架到她脖子上，让她自己用充电线捆好脚，又把对方的手也绑起来。

他刚把女人绑好，正准备找点东西塞住她的嘴巴，又听到贺明嘴里嘟囔起什么，情急之下他拿起洋酒瓶就砸向贺明的头，想把对方砸晕。这一下砸过去，没把贺明砸晕，反倒是把对方砸醒了。

两人开始搏斗，边上贺明妻子大声呼救，混乱中，杨勇军也记不清自己到底砍了女人几刀。

他追着贺明往客厅去，中途又顺手把保姆砍倒在地。鲜血也溅了他自己一身。

在客厅和贺明打斗一番后，对方逃出了屋子。杨勇军也非常慌乱，顾不得拿什么财物，把身上的血衣一脱，就跑出了小区。

从无前科，也没有经验的他，第一次作案就犯下惊天血案。

他毁掉了贺明的家庭，也把自己的人生赔进去了。

2015年，终于有一个女人愿意跟他一起过日子，对方是个广东女孩。这事当时在村里引起了不小轰动，讨个广东媳妇对当地人来说，够稀罕。

本是一件天大的喜事，但对于身上背着一桩血案的杨勇军来说，他根本开心不起来，这一切已经快把他压得喘不过气了。

每次出现邻里纠纷，对方不光嘴里骂，连拳头都招呼上了，杨勇军也只能躲着、缩着，生怕事情闹大，自己就"进去"了。

他一直不肯要孩子，任何时候过夫妻生活，杨勇军一定会戴避孕套。

父亲在出租屋里被偷东西那次，喊他来帮忙处理，他没有去；母亲在老家去世，所有亲友都赶回去送葬，他没有回。

杨勇军的这10年，是一个人只要做过一次违法的事，就会永远失去堂堂正正做人的机会最好的证明。

通常，凶手归案，法院做出判决，基本就意味着一个案子的结束。但"天字一号案"的路好像远没有走完。

2020年4月底，"天字一号案"破获整一个月，我在会议室里见到了一个熟悉的身影——法医小陆。10年前他曾经在我们队实习过，现在已经是他们分局的法医主管了。

小陆说，他是来取经的。

"天字一号案"告破之后，惊动了省刑侦总队，对方在我们的总结基础上，又发了一篇大案总结。那段时间，几乎没有人不知道"天字一号案"。

小陆就是看到了文章，为一个积案专程赶来的。

案子本身并不复杂，大约16年前，在小陆所在辖区两个相邻不到10千米的村子，先后发生了两起抢劫强奸杀人案，受害人间互相并不相识，年龄悬殊也很大。唯一的共同点是两起案子都发生在村路边，现场都留下了精斑。通过DNA检验，确定为同一人作案。

10多年过去了，除了案件刚发生时参与调查的警察，其他关于案件的资料，只剩下小陆手里那一沓纸。

"啥都没有，我能咋办。"如果不是清理积案，小陆说自己甚至不知道他们辖区在他入行前，还有这样的大案未破。他忙活了一个多月，结果连专案组都没有拉起来，总之就是要人没人，要钱没钱。

听到这里我才发现，原来相隔不到 100 千米，同属经济发达的珠三角区域，竟然还有这样的办案生态。

我忍不住打断小陆，现在是没钱没人，可你不去做，谁去做，不做就连一丝希望都抓不到。

"天字一号案"是这样，白银案更是如此。20 世纪八九十年代，指纹识别技术还非常不成熟，负责白银案的警察得拿着放大镜，一个一个比对。如今技术突飞猛进，案子反倒垮在了人力上。

技术和人，哪一个落下了，都不会迎来好的结果。

"事在人为，至少先开个头，一旦有突破进展之后，再和局长谈，或许就会容易很多。"小陆走之前，我用力拍了拍他的肩。

再次接到小陆的电话时，他们已经发现了一个可疑家系，还在犹豫要不要花大力气去跟进。

我在电话里叮嘱他："跟，必须得跟。而且得和领导说破案的希望非常大。"

果然没两天，小陆就发微信过来说，专案组成立了，他隔天就出差去深入调查。

没过多久，得知小陆他们的案件已经破了，我赶紧打开电脑，看到了他们的内网通报。

凶手是个背负重刑的越狱犯。当年，他逃出监狱后，先后在村道上遇见两个女孩，一时生了邪念，对她们先奸后杀，之后他带着搜刮来的财物，离开了珠三角，再也没回来过。直到小陆重启调查之前，他始终过着正常人的生活。

随着时间的推移，Y染色体技术的日益进步会将这张网织得更广，也更密——逃脱法网将变得比以往任何时候都要困难。

因为技术背后，是一群手握技术、对罪恶穷追不舍的人。

"天字一号案"的告破激励了很多同行，各地纷纷开始大规模清理积案，一个个潜逃的罪犯被我们从茫茫人海里揪了出来。

那一刻我才真正意识到，"天字一号案"已经不只属于破晓行动，它是整个广东省的"天字一号"，也是Y染色体这条侦查道路上的"第无数号"。

在它前头，有白银案、南医大奸杀案这样惨痛的大案；在它后边，有许许多多不为人知的"小案子"，而它立在那儿，本本分分地做一块路标，就是对所有为真相付出过努力的人们，最深的致敬。

# 12

## 团圆行动

**案发时间：** 2005 年 3 月

**案情摘要：** 新城商业区路边绿化带发现 "一只手"。

**死　　者：** 吴梓豪

**尸体检验分析：**

儿童左手。手指纤细，指甲干净整齐，手掌皮肤光洁，无疤痕及茧。手掌外侧边缘有狗啃痕迹。

带有一小截手腕，腕部骨质断面见平行伤痕，为刀具反复劈砍所致。手腕断端肌肉呈灰白色，无出血反应，证明该手为死者遇害后被砍下。

年底，我和几十位来自全国各地的法医聚到一起，不在解剖台前，而是盯着电脑；手里拿的也不是惯用的 24 号解剖刀，而是鼠标。

我们在做一件"世界上最难的事"。

一间像中学时代电教室的房间被一分为二，前半间坐着人像比对专家，后半间坐着法医 DNA 专家。这里是"团圆行动刑事技术集中比对会战"的主战场，我就坐在"战场"的后面。

"团圆行动"是公安部开展的寻找被拐失踪儿童的专项行动，这次抽调全国技术专家开展的比对会战为期 80 天。在此期间我们只做一件事：比对上尽可能多的失踪孩子，送他们回家。

因为没有强制性任务，一开始我心态还比较放松，但很快我就发现，我的同桌是所有人当中最"卷"的。

他比我高大很多，年龄也比我大，名字里还有个"达"字，我就喊他"达哥"。

参加"团圆行动"的人都可以通过网页实时看到"已认定战果"，当我兴奋地看着自己名字后面的"0"变成"1"的时候，达哥已经是"11"了，这个数字代表比中的失踪儿童数量。

我好奇他怎么能比对出来那么多、还那么快？后来才发现，他每晚都背着我们"偷偷"干。白天，大家从早上 8 点开始对着电脑比对，晚上吃了饭，别人都回宿舍休息，他还会回电脑房继续比对。

看着他战果不断，我自己也慢慢"卷"起来了。

行动还剩 10 天的时候要组织分享会，交流成功经验和典型案例。别的同行都不大想讲，达哥却主动请缨，还认真准备了 PPT。

我开他玩笑："达者为先！"但我知道，他愿意这么做，一定是因为他付出的比其他人都多，或者说，经历过的比其他人都疼。

我坐在台下听他讲，不断想起那个因为一枚胸牌被拐走的小女孩的案件。每次经过她上学的路口，我还是会有一瞬的恍惚。她像立在我心上的一块碑。

我能感觉到，台上的达哥也有他的"碑"。

分享会结束的那天晚上，我和达哥在当地一家土灶柴火鸡店里，烤着火，等着鸡焖熟。

我第一次听到了这个身形高大健硕的法医心底，那块碑下埋着的故事。

2005 年 3 月 14 日傍晚 7 点多，从接到勘查通知，达哥就开始做心理准备。

现场离公安局只有不到 10 千米，留给他做准备的时间并不多。

其实也不是什么血流成河的大场面，新城商业区的路边绿化带发现了"一只手"。对于达哥这个局里最早的法医硕士、勘查检验的主力来说，这个警情不算什么。

但报警电话里的一句话，让达哥的心悬了起来。

"好像是小孩的手。"

当晚 7 点多，新城商业区的五金店老板正在喂狗，突然瞄到狗窝边好像有个"怪东西"。

第一眼，老板以为是自家小黑狗从附近叼来的塑料玩具，但越看越瘆得慌：苍白的颜色，略微屈曲的 5 根手指，并不光滑的断茬……

老板抄过店外的铁铲，一用力，将那怪东西连带旁边的杂物一块儿铲起来，又小跑着把"东西"倒在路边的绿化带下面，然后丢开铲子，给狗拴上链子。

回到铺子，他坐在柜台后面歇了好一会儿，终于拨通了报警电话。

作为开业仅一年多的商业区，这里的人气不算太旺。傍晚时分，朝大路的铺子大多已经关了门，有的是已经打烊，更多的根本没有商家入驻。

昏暗的路灯远不足以满足现场勘查的需要，达哥带着几个兄弟一起从车上拉了线，支起临时灯架，配上了最大功率的照明灯。

当电话里的"那只手"出现在视线里时，达哥还是忍不住深吸一口气，才缓缓蹲了下去。

它静静地躺在灌木丛底，苍白的断肢和泥土的颜色很接近，达哥戴着手套，用手指轻轻把它捏起来，仔细地查看。

它确实属于一个孩子,放在自己手心里只占一半。是只左手,手掌的皮肤光洁,没有任何疤痕,更没有茧;手指纤细,指甲干净整齐;手背上沾附着一些尘土和草屑,手掌外侧边缘有被狗啃过的痕迹,但缺失的部分并不多。

达哥甚至庆幸五金店老板把狗喂得很饱。

断手带着一小截手腕,腕部骨质的断面有好几处平行伤痕,是刀具反复劈砍造成的。

达哥的心沉了一下,这样粗暴的劈砍在普通绑架案中几乎不存在。因为案犯通常没有救护能力,直接砍断小孩的一只手,不及时包扎止血,很可能直接导致人质死亡。

下一秒,达哥注意到,手腕断端的肌肉呈现出不同寻常的灰白色,这几乎在逼迫他做出那个最抗拒的结论——没有出血反应。这说明这只手被砍下来的时候,它的主人已经遇害。

达哥找了个塑料箱,垫上垫巾,小心翼翼地把那只手捧进去。隔着手套,他都能感觉到那只小手冰凉冰凉的。

在自己手掌的衬托下,它显得那么小,似乎用力一握就会在他两手间消失。

他打电话跟队长汇报勘查情况,说到最后感觉自己都有些呼吸不畅了。他可是平日里轻轻松松就能跑下 5 千米的人。达哥下意识觉得自己紧张了,其实他知道,自己是不愿意承认有个孩子已经遇害。

"我总觉得作为法医可以紧张,也可以怜悯,但绝不能软弱。"这做起来并不容易。多数时候,我们直面的是一个个令人沮丧甚至愤怒的惨象,但我们需要依靠理智和经验从中得出结论,好让身后更多的兄弟以这个结论为基础,行动起来。

灌木丛就在大马路边,旁边十几米是一字排开的商铺,路上的车流因为围起来的警戒线开始拥堵。

这绝不是个抛尸的好地方。

但现在除了凶手和那条小黑狗,没人知道这只断手原本被遗弃的地方,也没人知道它原本的小主人现在在哪儿。

这大概是一个法医最孤独的时刻——咽下所有沮丧,任由这些看到的在自己心里翻搅。

汇报完情况,达哥感觉喉咙发紧,嘴里满是苦味,他走到附近一家还开着的便利店买了几瓶水。

灌下半瓶之后,看着老板不时朝警戒线张望,满脸八卦的神色,达哥随口问:"这么远你看得见吗?知道啥情况?"

没想着能有什么有用的回应,结果店老板指了指店外的电线杆子,又从柜台里掏出一张纸。

那是一个11岁男孩的寻人启事,照片里的男孩笑得很开心。

男孩叫吴梓豪,走失时上身穿黑色外套,下身深蓝尼龙裤,脚穿蓝边白底运动鞋。失踪时间就在断手被发现的前一天,3月13日晚。

他几乎能透过这张寻人启事看到男孩父母焦灼的面孔。

那时达哥虽然自己还没有孩子,但他12年前还在上中学的时候,就"亲历"了一起走失案。

有天,他一边吃着晚饭,一边听自己母亲念叨,邻居家的小妹丢了。

达哥当时愣了一下,下意识问到,哪个小妹?

"就老何家那个,笑得很甜,每次见面都叫你'哥哥'那个。"母亲说着给他添了一筷子菜。

邻居何叔叔家有一儿一女，据说是夫妻俩带着3岁多的小女儿逛街，没看住。

夫妻俩发动亲朋好友包括达哥他们家，找了整整两天，毫无线索。后来报了警，但警察也没线索，最后就不了了之了。

从那以后，一直到参加工作，达哥每次回家，只要见到何叔叔一家都会下意识躲开。他知道这对夫妻一直没有放弃找女儿，实在不忍心一遍遍看对方希望落空之后失落憔悴的样子。尤其是在自己穿上警服之后。

达哥带着断手回到局里的时候，吴梓豪的父母已经赶到并等着采血。

虽然还没有做DNA鉴定，但这对父母几乎已经认定断手是自己儿子的了：小孩刚失踪，这只断手就在自家门前的商业街出现，而且大小差不多。

梓豪妈妈已经神情恍惚了，或许是报案的时候已经痛哭过，这会儿面对达哥，她只是红着眼睛，一边抹泪一边不断念叨："该早点叫他回家吃饭的，该早点……"

商业街发现断手时，她正在附近的网吧和游戏厅里找孩子，一天一夜都没合过眼了。在她的预想里，最坏的结果是梓豪被人拐走了，她根本没有准备面对一只"断手"。

"梓豪很乖，成绩优秀，懂事听话。他比其他孩子更有时间观念，总是按时完成作业，准点回家吃饭……"

梓豪爸爸稍微镇定些，但脸色也很难看，无奈地告诉达哥自己平时忙，对孩子的关心不够。

看着这对父母，达哥什么都说不出口。

如果断手真是梓豪的，情况可能远比梓豪爸妈想象的要坏。

采完血，达哥刚要走，梓豪爸爸忽然拉住达哥。

"那个手……是不是在你们这儿？要不要冻起来？如果找到小豪了，还能不能再植回去？"

达哥愣了一下，他没想到梓豪爸爸会提出这样的要求。事实上，在看到断手边缘没有出血反应的时候，达哥就已经认定，孩子遇害了。

这大概率是一个碎尸案。

而这一切，眼前这对父母全然不知。在他们看来，现在只找到一只手，或许孩子还活着呢？

是啊，哪怕只有一丝希望呢。

迎着这种憔悴又热切的目光，达哥的嘴里又返上来那种苦味。如果"悲伤"有味道，应该就是这样。

孩子丢了，对一个家庭来说意味着什么？达哥亲眼看到过。何小妹丢了之后，何家在几年之间分崩离析。先是何叔叔无法原谅自己弄丢了孩子，整日酗酒，喝到肝癌去世；何大婶一人拉扯儿子长大，好不容易熬到儿子大学毕业，参加工作，结果好景不长，没两年何家大儿子就因交通事故意外去世。原本圆满的一家四口，最后只剩何大婶孤零零一个人。

他从不敢直视对方的眼睛，太苦了。

此刻，两对父母的身影似乎重叠在了一起：他们都知道希望渺茫，但他们都紧抓着希望不放。而达哥知道，自己注定要让他们失望。

他对梓豪爸爸摇了摇头，告诉对方："孩子是被人杀了之后才砍下的手。"

对面的男人想说什么，但只是喉结动了几下，哽住。

看着这个无语凝噎的父亲，达哥只能转身离开。他没有，也不忍心告诉梓豪爸妈的是：即便自己有万分之一的机会判断错误，孩子还活着，他也将永远失去左手——因为发现的那只断手被烹煮过。

在血淋淋的现实面前，法医无法给予安慰，但希望这一点点"隐瞒"能让这对父母在真相到来前，好受一些。

梓豪爸爸正在接受问询，突然，手机响了。问话的侦查员立即示意他把手机放在桌上。

是一个陌生的电话号码，他按下免提，电话接通。"谁啊？是谁！"梓豪爸爸喂了两声。电话那头却寂静一片，好像根本没人。

这个莫名其妙的电话只持续了10多秒，最后对面先挂掉了。

有那么一瞬间，在场的人都觉得，对面就是电影里那种绑匪，察觉到这边开了免提才挂掉了电话。但谁也无法判断这到底是不是绑匪打电话来试探。

令人窒息的两分钟之后，又是一声提示音，同一个号码发来一条短信：对不起，刚才是打着玩的。

陌生的来电，蹊跷的短信，这一系列反常举动立刻引起了达哥的怀疑。

队里第一时间核查电话号码归属地，就在本地，但是张不记名电话卡。

经过简短的商量，侦查员又用梓豪爸爸的电话回拨过去，电话那头只传来一阵忙音。对方关机了。

队里派人去调取这个号码的通话清单——基本没有有效通

话，暂时无法确定机主的身份。

不少侦查员觉得，这会不会是一个绑架勒索最后撕票的案子？

那些年断手、断指的案子属实不少。20世纪90年代，港片里经常出现绑匪剁了受害人手指手掌，威胁勒索家属的桥段，后来出现了不少模仿作案。

只是这种猜测有个站不住脚的漏洞：如果是为了拿断手威胁勒索孩子的父母，那么"烹煮"这个行为就显得格外多余。

什么人对一个孩子有这么大的恶意？要做这么残忍的事？

如果不是绑架勒索，一般情况下，能让罪犯冲孩子下手，仇怨往往不是由孩子引发，而是孩子的父母。

队长细心询问了梓豪父母的生活细节，尤其是有没有陈年积怨的邻居或者仇家。

梓豪家经营电子产品外贸生意，梓豪妈妈说，商业街附近根本没有竞争对手，以前的生意伙伴也没有矛盾。至于邻里之间，这边是新建的小区，周边邻居都很和气，平时也很少碰头，谈不上什么仇怨。

但梓豪妈妈说话的时候，队长发现梓豪爸爸渐渐皱起了眉头，一副欲言又止的样子。他让同事接手继续给梓豪妈妈记笔录，自己则把梓豪爸爸单独领到了另一间办公室。

一关上门，还没等到队长开口，梓豪爸爸就先告诉他："我最近可能真得罪人了！"

原来梓豪爸爸早在3年前就有了外遇，对方是沐足店做按摩的，叫阿娟。

他给阿娟租了房，每个月还给对方一笔钱，算是专门养了起来。平时会借谈生意要出差的借口,隔三差五去阿娟那儿住两天,几年下来倒也相安无事。

可就在案发前一个月,有天下午,他没提前打招呼就去了阿娟的住所。结果一推开卧室门,阿娟正和另一个男人躺在床上,两人都光着身子。

怒火中烧的梓豪爸爸想都没想,抽出皮带就对着床上这对"奸夫淫妇"一顿乱抽。

或许是因为心虚,尽管那个男人比他年轻力壮,但对方一直都只是躲闪,并没有还手。

当天晚上,他就把给阿娟租的房子退掉了,任凭对方几次打电话来哭诉求原谅,依然狠心挂掉了电话。之后他没给过阿娟钱,也不再和对方见面。

后来,他也不知道阿娟去了哪里,更不知道那个和阿娟混在一起的男人姓甚名谁。

事已至此,梓豪爸爸觉得很可能是对方想报复自己,最后害了孩子。

"这女人跟了我 3 年,对我家的情况也算了解。"他说。最重要的是,她还认识小豪!

DNA 实验室连夜加班,终于确认:断手主人和梓豪爸爸符合亲生关系。

被杀害的孩子就是失踪的吴梓豪。

完整的案发经过基本浮出水面:吴梓豪 13 日晚在商业街失踪,父母报案。当晚,孩子被害分尸,凶手趁夜色丢弃尸块。后经过一整个白天,14 日下午,梓豪的左手被五金店的黑狗叼回狗窝。

这当中有一点让达哥有点意外——黑狗就在商业街，它能叼回来梓豪的断手，证明梓豪的失踪地点和抛尸地点异乎寻常得接近。

等于尸块就扔在了"家门口"！

在达哥心里，和破案同样重要的，就是找到完整的尸体。

这是他经手的第一起儿童碎尸案，那两天，不管是吃饭、睡觉，达哥脑子里都会反复出现那只小小的断手。

碎尸案中，越晚找到尸体，越难保持完整。达哥得尽快找到孩子，还父母一个完整的念想。

达哥说，虽然已经当了几年法医，但他还是学不会像老前辈一样把情绪藏起来。面对受害人家属的痛哭，他总是忍不住红眼睛。这几年的长进也不过是学会了摘下眼镜，用按压鼻梁的动作掩饰自己擦眼泪。

他忍不住从电脑里找出何大婶当年拍给他的照片。照片里是满脸笑容的一家四口，可自己记忆里只有何叔叔每次醉酒后放声痛哭的样子。甚至不翻出照片，何小妹的样子早在自己脑海里模糊了。

当他意识到这是一个碎尸案，并且受害者是个孩子的那一刻，他比之前任何时候都希望何小妹安好。他不想以后在类似的卷宗上看到她。

作为法医，能给人带去好消息的时候太少了。

整整一个下午，达哥都在现场附近的商业区晃悠，他也不知道自己能找到什么，但总觉得多转两圈或许就会有收获。

他忽然有些理解邻居何叔叔夫妇。夫妻俩一有空就会去女儿走丢的街上转悠，常常是走了很久，沿途看，问遇到的每个人，但一条街走下来又不知道自己看见了谁，问到了什么。

他们的生活永远卡在了孩子丢的那一天，甚至那条街——他们期待一场奇迹，一场自己都不相信会发生的奇迹。

现在，他也在等一场"奇迹"发生。

3月15日当天，本地都市早报在社会版头条报道了这起案件。

报道中说，头天吴氏夫妇报案时派出所警察对他们爱理不理，简单询问了一下就想打发他们回家，理由是"失踪时间太短，不方便立案"。结果第二天黑狗就发现了断手。话里话外讽刺警察的找人能力还不如一条狗。

但现实情况远比报道复杂得多。

队长询问了吴梓豪失踪当天一起玩的4个小伙伴，最后一个和吴梓豪分开的小孩告诉队长："他往网吧的方向走了。"

但奇怪的是，队里把网吧门口的监控拷回来反复看了好几遍，都没有看到吴梓豪。商业区头尾，两个红绿灯路口的监控，也没有拍到吴梓豪离开的画面。

这个11岁男孩就在这不到200米的距离里"消失"了。

临街不过二十来个开门的店铺，两排出租楼，住的基本都是附近上班的人。

达哥估算了一下，如果吴梓豪是在这个狭长的圈子里遇害的，那么第一现场就应该在这条街上。

2005年那会儿社会治安并不好，店里大多要住人，怕晚上有人撬门偷东西。所以商铺的格局很统一，大都是5米层高，小门面，长纵深，前后间隔，上下两层。铺子后面带简单的厨房和卫生间，上面的隔间拿来做仓库和守夜人的床铺。

结合作案手法分析，分尸要比较长的时间，那么就需要足够独立、不受干扰的空间，还要满足冲洗条件；而烹煮，意味着需要相应的厨具和灶台。

一个带厨房和卫生间的商铺几乎完美符合这几个条件。

对店铺和租户的排查立刻开始——从 14 日到 15 日晚，现场附近出租屋忽然离开的总共有 5 个人，其中 3 个人是家中临时有事，另外两个人，一个被朋友叫出去玩，一个出差。

通过查询他们的通话记录，询问老乡、工友，基本核实了说法。队里还专门安排了侦查员，挨个去这 5 个人租住的房间查看，都没有发现异常。

眼看派出所这边再没有什么新线索，达哥返回队里继续研究那只断手，队长则带着人又回了发现断手的现场。

从花坛开始、往网吧方向，队长一间一间走过临街的店铺：家装公司、房地产中介、广告印刷……一个小孩对这些店铺不会感兴趣。

能够吸引小孩子的是什么呢？

数来数去，队长的视线最后停留在两家便利店、一家面包店和一间魔术玩具店。

正好，4 个店都还没有关门。

便利店里，一个 20 多岁的男店员表示，确实经常有小孩到店里玩，但很少逗留，都是买了就走。

另一个便利店就在发现断手的绿化带旁边，门口的电线杆子上还贴着吴梓豪的寻人启事。店主是个中年男人，这两天已经被先后问过几次，但他看热闹聊八卦头头是道，真正有价值的信息一点都没提供。

面包店的女孩看一堆人进店，本来很热情地上前推销面包，等队长表明身份后，立刻紧张起来，站在那里一动不动。队长随口问了两句，又在铺子里转悠了一下——面包店看着干净整洁，但店铺里边和其他店一样杂乱无序，面包也是从另外的作坊送过来的。而且这个店里并不住人，没有厨房和卫生间。

走到最后那间魔术店的时候，一个不到20岁的小伙子正在关门，看样子是准备打烊了。从店门望进去，这同样也是一家前铺后房结构的店，店铺弄了隔层，应该是有人住。店门口除了张贴了许多花哨的魔术师海报之外，还在显眼位置贴着"店铺转让"。

店里坐着一个低头玩手机的男人，看起来也是二十来岁。队长表明身份，问他是否见过吴梓豪，关门的小伙指了指坐在柜台后面的男人："那是叶老板，有事问老板。"

队长走进店里，被称作叶老板的男人抬了抬头，打量了队长几眼，才不情不愿地收起手机，表示自己确实见过吴梓豪："那几个十来岁的小孩时不时就来店里晃悠，看我表演魔术。"但是那帮孩子手里都不宽裕，除了一开始买过几个十来块的小玩意儿，再也没有关照过他店里的生意。至于星期天晚上，叶老板说自己一直在打手机游戏，没怎么注意有没有小孩来过或经过。

队长探身望了望后面隔间，叶老板立马不耐烦地抱怨："已经有三四波警察进去搜查过了，里面东西多，有些魔术道具都给我弄坏了……"

队长犹豫了一下，说还是要进去看一眼，叶老板只好叮嘱队长小心点，弄坏了要赔钱的。

那里的箱子已经堆积成山，通向后屋的那条小道上也乱七八糟堆了不少东西，每走一步都摇摇晃晃。等队长终于快挪到最里面的小厨房时，叶老板忽然在外屋喊了起来："我星期天好像见过吴梓豪！"

"大约5点多，一个我没见过的陌生女人，带着吴梓豪上了路边一辆黑色小汽车。"

陌生女人？队长的第一反应就是梓豪爸爸的那个情人，阿娟。

难道真的是这女人一早谋划，骗过了前期的侦查员？

队长赶紧拿出打印的阿娟照片让对方辨认，但叶老板皱着眉头看了一会儿，说自己也不确定是不是一个人，毕竟只是瞄到一眼，没看那么仔细。

陌生女人，黑色小汽车，5点多，有在路边停靠。

虽然商业街两端的摄像头拍不到魔术店对面的路，但一辆车正常通行，算上红绿灯时间，基本可以估算出大致时间。而有停靠的黑色小汽车，通行时间一定会异常。只要揪出那辆车，就可以顺藤摸瓜找到背后的"陌生女人"。

按照这些信息，队长赶紧联系了情报和视频组的队员。

阿娟的嫌疑陡然上升。

在队长忙着查那辆黑色小汽车和背后的陌生女人时，16日早上8点多，达哥叫上警犬队的兄弟们开始了第三次现场搜索。

他还在为找回一具完整的尸体而努力。

本来经过前几天的折腾，大家对警犬不抱什么希望了，没想到10点钟的时候，警犬在离发现左手的位置不到50米、同一条路的灌木丛下，找到了另一只断手。

达哥第一时间赶了过去，地上还留着一个凹陷的土坑，断手就在坑里，上面覆盖了很厚的落叶。

达哥把断手附近的落叶一片片挪开，确定没有其他组织遗漏，才开始进一步检验。

这是一只右手，劈砍方式和前两天发现的左手一模一样，而且也被烹煮过。土坑边缘没有新鲜挖掘的痕迹，看形态像是之前栽种的一株灌木被拔走后留下的坑。断手上也没有包裹物，只随便用落叶盖了一下。凶手简直是直接把这只手当垃圾一样丢弃在这里，处置方式匆忙而潦草。

这极其反常。

刑侦学上有个说法叫"远抛近埋"，说的是大多数凶手处置尸体时的规律：如果是碎尸、抛尸，往往都会丢弃在远离自己住处的地方；如果就在自己家附近处理，往往都会选择挖深坑埋尸。

分尸是一件耗时耗力的事情，需要极强的心理素质和体力。选择碎尸再抛尸的凶手往往是为了隐匿罪行，延迟自己被发现的时间。这种凶手的思维相对缜密，除非剁得无法识别，否则他们选择的抛尸地点会尽可能远，而且非常隐蔽。

但杀害吴梓豪的凶手偏偏把这么明显的断手，就这样肆无忌惮地丢在人流车流量都很大的路边。究竟是作案过程出了纰漏，还是凶手过于暴虐？

这种违背常理的行为让达哥陷入困惑，也让正追查"陌生女人"的队长摸不着头脑。如果是阿娟作案，她应该会直接带吴梓豪去她熟悉的地方，就算要杀掉孩子也会在外地实施。

杀人后分尸，还直接丢在原地，逻辑上根本说不过去。

队里都觉得阿娟的嫌疑小了很多，一种新的猜测在右手被发现之后占了上风：会不会是变态或者有前科的人？

能在家门口杀人，又在家门口抛尸，这个人的心理承受能力绝不一般。

结果情报的兄弟丢来一个重磅炸弹，摸排的情况比大家的猜测还要邪门。他们在排查附近精神病人和刑满释放人员时，发现就在商业街后面出租屋里，住着一个有前科的杀人犯。而且当年，此人就是用"碎尸"的手法处理了尸体。

一个杀人碎尸的凶手没判死刑？还能出狱？连队长都有些不敢相信自己的耳朵。

嫌疑对象叫王学武，34岁。15岁那年，他在打工期间与自己的木匠师父发生争执，在住处将对方杀害，然后碎尸丢弃。

因为犯案时年龄还小，王学武被判了死缓，几次减刑下来，坐了18年牢，于1年前出狱。在老家待了半年之后，他来到本地打工，从事装修工作。

情报的兄弟也觉得有些不可思议，但现实就是这样——这种新兴的商业区往往鱼龙混杂，不全面摸排，谁也不知道里面还藏着这样一个人。

事不宜迟，队长叫上达哥，又招呼了两个队里的兄弟，四人直奔王学武的住处。


一个男人开了门，手里正端着一大碗面条。看见门外站着的达哥四人，愣了一下，顺手把面条放在门口的柜子上，抱起膀子堵住门，一脸不爽。

达哥拿出证件："警察，查看证件！"

男人悻悻地转身进屋，两个兄弟把守住门口，达哥和队长跟着男人顺势溜进了房间。队长站在床边看着对方翻找证件，达哥则直奔卫生间和厨房。

"不用看了，没东西，我知道你们为啥来。"男人把暂住证和身份证递给队长，正是王学武。

王学武的态度并不友好，但这显然不是计较态度的时候。达哥趁队长检查证件，在厨房晃了好一会儿，还把厨房里的刀和砧板都拎起来看了一遍。

卫生间的地板上散布着斑斑点点的污渍，瓷砖边角甚至有厚厚的黑色油污，一看就是很久没有好好打扫过了，洗衣粉袋子、洗洁精瓶子上满是灰和油污。

达哥冲队长摇了摇头。这个男人是否是凶手现在无法确定，但这里肯定不是碎尸的第一现场。

队长例行询问了王学武前几天的行踪，对方无奈地表示，他知道附近有个小孩被人杀了，还砍了手下来。

"是，我是杀过人，但我都已经吃了18年牢饭了，你们也不能一辈子揪着不放，把什么都往我头上栽吧！"

没有明确的线索和证据，队长也只能采用一些迂回的手段。他暂时扣压了王学武的身份证，让对方最近不要离开本地。

与此同时，情报的兄弟花了两天时间，终于查清了给梓豪爸爸打电话发短信的陌生号码。但背后的情况却叫人大跌眼镜。

号码的主人本来是住在附近的一个中年大叔，13日案发当天，他正在出差，根本不在本市；14日回家后听说了黑狗叼断手的新闻，试着拨打了寻人启事上的电话。

"但只是想听更多的'八卦'。"

结果电话接通后,他突然觉得自己这么干实在很没品,于是又编辑了一条短信解释自己的行为。

大叔打电话的手机是个备用机,发完短信没多久就关机充电了。之后几天都没有使用,也就没有开机。

因为出差全程有购票记录,也有住宿登记,大叔的说法很快被证实。

没想到这么重大的嫌疑竟然源于一连串荒唐的巧合。

队长那边同样没能带来好消息。阿娟的情况初步核实清楚,被打之后因为要不到钱,她没多久就去了另一个城市,近期根本不在本地。

至于和阿娟在一起的那个男人,按照阿娟的说法,他们在一起的时间不长,对方根本不认识梓豪爸爸,更不知道他家的情况。两人近期也没有电话联系。

最有嫌疑的人一个接一个被排除,全队上下都陷入了沉寂。

那两只被随意抛弃在警方眼前的断手,像无声的求救信号,又像巨大的挑衅。

凶手究竟是谁?

被残忍杀害的梓豪又在哪里?

无措、失去目标的恐惧包裹着达哥。

他害怕邻居一家的悲剧会在吴梓豪父母身上重演。

几乎每一个遇害或失踪儿童的家属都会问同一个问题:如果在孩子失踪的第一时间就安排足够的人力物力去查,结局会不会不一样?

达哥从来给不出答案。

因为要每一个接警的警察，在第一时间判断出一个走失案该不该跟，真的太难了。

几乎每一个家长都会告诉警察自己的孩子很乖，绝对不会乱跑，也不会不打招呼不回家。但99%的案件中，那些"走失"的孩子不过是滞留在网吧、游戏厅，或者小伙伴的家里。

而现实情况是，警察在接到初期报案时能做的十分有限：做个笔录，查一查附近的监控……派出所根本不可能把这些报案都按照拐卖儿童，甚至谋杀案来处理，因为没有那么多警力。

时间再早一点状况更糟。

20世纪90年代，邻居何小妹失踪的时候甚至没有监控，警察除了帮忙询问一下小孩的老师，跑跑游戏厅，查查有没有溺水、交通事故，基本无从下手。

而这种新旧困境的交叠里，留下的是一个个破碎的家庭。

1990年到2000年初这10多年，是儿童拐卖案发生最多的年代。最猖獗的人贩子甚至会入室盗窃小孩，或者等在家门口直接把婴儿抢走——这样的事摊在任何一对父母头上，都会成为横贯后半生的梦魇。孩子丢了只是痛苦的开始，后面长久的拉锯和等待也足够把人拖垮。

邻居何大婶不止一次和达哥抱怨过，每次去派出所问案件情况的时候，都没有人愿意搭理她。她也知道时间过去很久了，很难找，连当年受理何小妹失踪案的警察都退休了，但这种毫无回音的等待依然让人憋屈。

邻居何叔叔逝世之后，达哥串门的时候注意到，何家客厅还留着一家四口的全家福照片和何小妹以前的玩具，但何大婶再也不提何小妹的事情了。这个女人变得越来越沉默，两家人也越来越生疏。达哥几次碰到何大婶，对方都只是像陌生人一样瞟他一眼，迅速挪开视线，连个点头的招呼都不再打。这样的情形一直持续到达哥进警队。

有一天，何大婶特意找了达哥在家的时候，提着水果，敲开了门。她坐到沙发上，手里握着纸巾，一边说，一边擦拭眼角。"我最近老是做梦，成晚成晚睡不着，好多次梦见小妹在黑漆漆的房间念叨着'要妈妈'。"她觉得女儿很可能在受苦，说一定要找到她。这次来就是想问问达哥，有没有更好的办法能帮她找到女儿。

其实达哥明白，不是女儿"托梦"，而是这位母亲太思念自己女儿了。

达哥帮何大婶采了血样，标记了失踪儿童的信息，但DNA系统并不能直接认定"母女"这种单亲关系——只有父母双方都比中小孩时，系统才能自动认定。

除了每隔一段时间把数据滚动比对之外，不管哪个地方有被拐儿童被解救，达哥都会积极联系当地，拿何小妹的数据和那些儿童的数据比对一遍。

但几年过去了，还是一点消息也没有。

每次看到其他案子里有意外死亡的儿童，达哥都会不由得想起何小妹，但他总安慰何大婶，没有消息至少证明何小妹没有被害，没有被丢弃到福利院。

"孩子可能好好地在新家庭里呢。"他也会这样安慰自己：没有好消息，但至少没有坏消息。

只要没有坏消息，他就还有机会。

局里终于下了"死命令"：抽调全局警力，对中心现场附近的所有场所，尤其是出租屋，挨家挨户搜查。发现一丁点可疑也要立刻上报。

这一招非常有效，在商业街附近 500 米范围内，累计发现了 6 个有可疑血迹的房间。

达哥提着勘查箱从第一个房间检查到最后一个。16 日整个白天，他一直在期待和失望中不断循环。

参与搜查的警察很多都不是专业刑警，他们既不能根据血迹的形态分析出它形成的原因，也无法依据它的颜色判断出它的新旧程度。

在这 6 个房间里，有 5 间的血迹都是随手抹在墙壁上的，这些血迹形成的时间也都是几周甚至几个月前。唯一一个新鲜的点状血迹，是房主切菜时切到手指，不小心甩到墙壁上的，她还给达哥看了手指上的伤痕。

这些房间都不是碎尸现场，案件似乎又跑进了死胡同。达哥突然想起，吴梓豪左手指缝间遗留的两根狗毛。

第一个发现左手的就是五金店老板家的那条黑狗，那么断手的原始位置肯定在狗的日常活动范围内。

达哥他们让老板把黑狗的链子解开，远远地跟在狗屁股后头转悠了一下午，最终得到了一个惊人的发现——狗的活动范围比预想的小得多！

除了定点撒尿画地盘之外，主要活动地点就在自家五金店门前和花坛边，沿途不过 200 米——刚好覆盖梓豪失踪的这一段路。

凶手藏的地方可能比我们预想的还要近，他很可能一直在我们身边，看着我们一步步调查。

队里当即决定在黑狗的活动范围内进行第二轮搜查。

但人还没撒出去,一个新的情况打破了达哥他们的计划。

情报的兄弟翻看了吴梓豪失踪当天商业街的监控视频,都没有发现魔术店老板反映的那辆路边停靠的黑色小轿车。

下午4点半到6点半,所有进过商业街的黑色小汽车都被掐着表算了时间,没有一部车在路边临时停靠。

疑点。

附近几个店铺的老板也没有任何一个看到过所谓的"陌生女人"。阿娟的嫌疑被彻底排除。

梓豪的母亲更是拍着胸口保证:"小豪绝不会跟陌生人走,更不可能不和家里说一声就跟着别人上车。"

又是疑点。

两个疑点,是巧合吗?队里的兄弟渐渐对这个叶老板起了疑心。

梓豪爸妈在听说这条线索是魔术店叶老板提供的时候,还想起了另一件事。"3月13日那天晚上,我们找到半夜都没找到小孩,去派出所报警再回到商业街的时候已经是14日凌晨1点多……"

夫妻俩往家走的时候,看见魔术店叶老板和店伙计两个人正从路那头迎面走过来。梓豪爸爸随口问了对方一句看没看见自己小孩,叶老板说没看见,说他们两个是刚从大排档吃完夜宵回来。

梓豪父母提供的这个线索立即引起了队里的注意,队长派人去商业街附近的大排档挨个询问,结果只有两家大排档在案发当天营业到了凌晨1点之后。

而这两家店的老板都很确定,魔术店的叶老板和伙计当晚没有去过他们店里。

谎言，连续不断的谎言。队长一瞬想起魔术店里间那看似凌乱又格外干净的地面！

那里，会不会就是案发的第一现场？

3月18日凌晨1点，达哥带着全套试剂和勘查工具抵达了魔术店。

魔术店门口已经有两个兄弟守着了，没有拉警戒线，原本在店里睡觉的叶鑫叶老板和伙计黄志彬都已经被带回了局里。

在开始正式审讯之前，达哥必须先确认这里有没有问题。

达哥走进店里，打开了所有的灯。

他不止一次在台下看过魔术师的表演，却从来没有进过专门的魔术用品店，就像一个普通食客从没进过饭店后厨一样。本来以为店里会有许多新奇古怪的魔术道具，或者让他大开眼界的东西，但达哥转了一圈却有点失望。门口的彩色海报已经有些褪色，玻璃柜台上有不少没来得及擦的掌印，展示柜里虽然摆着许多花里胡哨的扑克牌、塔罗牌，但显然很久没人动过。

另外一些达哥叫不出名字也搞不清用途的盒子、棍子就毫无美感地堆在那儿，墙上看似绚丽的魔术彩带仔细打量已经积了不少灰。

一点也不"神秘"，甚至处处透露着破败。

一面带彩色串珠的布帘将店铺从中隔断，帘后堆着好几个大纸箱，再往里有简易的厨房、卫生间。

达哥注意到，虽然纸箱放得很凌乱，但地面却很干净，甚至比店铺门面的地板还干净。

储物间一时半会儿查不完，达哥决定直奔重点，卫生间。

里面的一切看起来都很普通：廉价的白色塑料门、陶瓷洗手台、逼仄的蹲坑、两个红色塑料桶、墙上的电热水器。

但就是这些寻常物件，此刻在达哥眼里却透出阵阵诡异：墙角瓷砖缝看不到黑灰，陶瓷洗手台上连常见的污渍都没有……达哥脑海里不由自主地浮现出两个年轻人撅着屁股，用清洁剂拼命刷洗这个小房间的画面。

检测结果不出所料，卫生间里啥都没有，连专门用于检测"肉眼不可见的潜在血迹"的试剂，都显不出一点颜色。

太干净了，干净得甚至有些扎眼。

达哥在这间小屋子里折腾了一个小时，满目疑点，但一滴血都没有找到。

达哥扶住卫生间的门框，正准备出去透口气，突然——手边好像有东西。达哥拿手电筒照了过去，又用镊子把门框上的"东西"夹了下来。

一个只有米粒大小的透明物质恰好粘在门框的边缘，在勘查灯的光下，隐约泛着极淡的黄色。那是人类脂肪组织的颜色。

随后，另一名勘查厨房的同事在洗洁精瓶底发现了淡淡的血痕，像是被水稀释过的血迹。

不出意外，这里就是吴梓豪被害的第一现场。

18 日中午 12 点，实验室确认，那粒疑似脂肪的组织、洗洁精瓶底的血迹，都和吴梓豪父母符合亲生关系，它们就是梓豪留下的最后证据。

DNA 检验鉴定结果出来后，老板叶鑫和伙计黄志彬先被晾了大半宿，又被突审了一上午，黄志彬率先崩溃，叶鑫很快也扛不住了,两人先后承认了全部犯罪事实。

魔术店是一年前开始营业的,老板叶鑫以前扮过小丑,学过几手街头魔术。

但之前到处打短工,家里一直催他找个正经活干,他想起自己平时用的魔术道具,觉得这也算是个暴利行业,新城商业街一开,应该有商机。

叶鑫向家里保证自己会安安分分地做生意,还夸下海口说能挣大钱,从父母亲友那要了几万元,最后又力邀老乡黄志彬入股。出资较多的叶鑫当老板,黄志彬当伙计,两人一起东拼西凑让魔术店开了张。

但事与愿违,这个残酷的社会很快就给两个年轻人狠狠上了一课。

商业街上其他店铺多少都有生意,唯独他这个魔术店,除了开张那几天附近的小孩和家长新鲜了几天,后来日益冷清。每天别说挣出租金了,连两人吃饭都成问题。

开始两人也试着挣扎了一下,到处找以前的朋友,让那些还在从事魔术或者小丑表演的同行帮衬一下,也联系过附近的小学去表演魔术,试图打开市场。

叶鑫心情好的时候会给附近的小孩表演小魔术,虽然这并不能带来生意,但总能聚点人气。孩子们崇拜的目光也让他心里快活。

但这些努力最终都没能改变店铺运转不灵的命运,两人没了信心,又无法接受生意失败、欠钱关门的结果。

"话都放出去了,这样灰溜溜回家,脸往哪搁?"

琢磨来琢磨去,两个年轻人也没有找到正经发财的路子。

一个偶然的机会,叶鑫看了一部警匪片后突发奇想,跟黄志彬说:"搞把大的,就能解决所有问题!"

两人最终瞄准了附近的服装批发市场。他们专门去踩过点,发现那里随便一家生意好的店铺,一天下来现金就能收几十万。

确定了作案目标,两人开始准备犯案工具,头套、面具,自己店里都有现成的,但怎么抢,拿什么抢,成了问题的关键。

两个年轻人都身材精瘦,不说对付成年壮汉,一个彪悍的女性就能让他们吃不了兜着走。

紧要关头,伙计黄志彬想起了魔术店里的一样"宝贝"。

"5万伏,一击即倒。"虽然道具电击枪的说明书上这么写,但到底是不是真管用,两人都不敢确定。自己要干的是犯法的勾当,可不能事到临头出差错。可是,拿谁来试一下呢?

两人你看看我,我看看你,都不愿意做"实验对象"。

叶鑫想起了之前经常来店里的小孩们。"就算小孩被电晕,大人也会当小孩子说胡话,没人较真的。"

他们一拍即合,决定在小孩身上试一下,还想好了,要是被问起来,咬死不承认就好了。

3月13日,叶鑫和黄志彬准备好了一切,就等合适的"实验对象"上门。

下午4点半,梓豪告别了其他小伙伴,毫无戒备地走进自己熟悉的魔术店。

平时,梓豪都是自己进店里看看,摆弄一会儿魔术道具就走。但这天,叶鑫没有放任梓豪一个人玩,而是热情地凑到他身边:"后面的储物间有新玩具,你进去看看喜不喜欢?"

一步、两步，梓豪走向那道带彩色串珠的布帘。

梓豪的身后，一把预先充满电的电击枪慢慢贴上了他的后颈。

"咔哒——"叶鑫按下了开关。

"啊！"被电流猛地击中，梓豪并没有像两个年轻人想的那样昏迷倒地，反而大声呼痛，叫喊着要回家告诉自己妈妈。

伙计黄志彬被梓豪的呼叫声弄慌了，顺手拿过一旁的铁锤，连续几锤砸到孩子的头上。

几秒间，梓豪喊不出声了，小小的身体歪倒在地上，永远停止了呼吸。

事情发生得太快，叶鑫甚至都没有反应过来，一切就已经结束了。两人在原地站了好一会儿，看着梓豪流出来的血越来越多，才渐渐回过神。

两人丢下手里的凶器，跑到洗手间胡乱冲了个澡，又换了一身衣服，转头居然跑去了网吧。

直到打了一会儿游戏，两个杀人犯才冷静下来，开始在网上搜索"毁尸灭迹"的方法。

晚上10点多，两人一起回到住处，先按着网上淘来的方法清理了血迹，又处理了尸体。因为害怕警方通过指纹确认孩子的身份，特意把手和凶器都丢到锅里煮了一遍。

当晚12点多，等整条街上完全没有行人了，他们才准备抛尸。

两人最看重的证据——"手掌"，丢弃的地点却决定得非常草率。

最初，两人想把手掌丢在垃圾桶里，叶鑫还"多考虑了一步"，说街边的垃圾桶经常有人翻捡垃圾，很容易被发现，不如丢到花坛里做肥料。

于是，两只手分别被丢弃在路边花坛的土坑里，都只是用落叶和杂物随意遮了遮，两个年轻人觉得这种程度的"抛尸"已经足够隐蔽了。

准备回去取其他尸块时，他们刚好撞见报案回来的梓豪爸妈，两人一下都有些慌神。还好对方只是简单问了他们两句就走了，并没有起疑。

但这次偶遇让叶鑫和黄志彬都很紧张，他们再也不敢把剩余尸块丢在附近了，回去后也不敢再搞出分尸的大动静。

两人从1点一直熬到早上6点，终于决定还是要把剩余的尸块和衣物丢弃。

这次他们找了两个大旅行包，把作案工具、剩余的尸块和衣物分开装进两个袋子，打车到了城郊，把这些东西丢在了荒山上。

回到店里，两个年轻人把洗手间彻底清洗了一遍，又把烹煮过尸体的锅丢了，才装作若无其事地开店营业。

结果他们"没想到"，不到一天，断手就被黑狗刨了出来。

14日晚上两人早早关了店门避风头，可惜不熟悉街上营业状况的警察并没有第一时间发现这个异常情况。

好在后续挨家挨户的调查震慑住了两个年轻人，他们不敢自首，也不敢出逃。

此前队长上门查看时，叶鑫生怕这个老警察发现屋里不对劲，就临时编了个谎，说"陌生女人带着梓豪上了黑色小轿车"，其实是为了分散队长的注意力。

但恰恰是这个谎言，让警察更快识破了他们的伪装。

这样的审讯结果让刑警队上下都很意外，没想到这么凶残的案件，起因居然仅仅是两个年轻人的犯罪预备，"做个实验"。

案件中那些让达哥他们感到困惑的行为，原来是从影片和网络上学来的"胡编乱造"，再加上年轻人的冲动莽撞，才让他们在整个案件中显得格外分裂、自相矛盾。

3月18日下午3点多，队长派了4辆警用面包车，十几个警察，分别带着魔术店的叶鑫和黄志彬去指认现场，寻找剩下的尸块。

案子已经破了，说起来这种找尸块的事情达哥完全可以让其他法医去，毕竟他已经连续加班5天了，但达哥专门开了自己的勘查车跟在后面。

车队从公安局出发，专程绕到商业街的大路上。车轮一寸寸碾过叶鑫他们抛尸的路线。

达哥没有参与审讯，他到最后也不明白这两个年轻人为什么能够那么狠心，对一个小孩下手。

那天，他拎着重重的勘查箱，跟着队伍从荒山脚下，爬到荒山顶，愣是一点不差把所有尸块全找到了。

当天下午，检验完梓豪的尸体，达哥细致地缝合好解剖创口，然后就站在那儿，静静地看着这具还没来得及长大，就破碎了的身体。

一旁的同事清洗完解剖工具，开始脱一次性防护服了，达哥还站在那里。

他盯着解剖台上的梓豪，总觉得这一幕太刺眼。他想起派出所里梓豪母亲神情恍惚的念叨，想起了坐在他家沙发上想女儿想到落泪的何大婶。

不能把梓豪就这样交给梓豪爸妈，不能。

他问同事，有没有什么方法处理一下，让梓豪"好看"点，同事们都只是摇摇头。

有专门的规定，这种碎尸是不能破坏砍切部位的。也就是说，正常情况下，梓豪的尸体在被火化前都得保持这样破碎的状态。

同事也劝他，活已经干完了，不要再搞麻烦。但达哥犯了倔，他觉得自己一定得做点什么。他翻出工具箱里用来粘取指纹的透明宽胶带，轻轻地把碎尸的位置对齐，再用胶布缠起来接好。

好孩子，没事了，都是大人不好。

"这样就不算破坏创口，又能让孩子完完整整的。"

这样的梓豪套上宽松的衣服，再戴上帽子之后，从外表看不出来有什么异常。

这是个好孩子，哪怕是离开，也该好好地、体面地离开。

达哥到最后也不知道梓豪父母看到自己儿子遗体时是什么样的心情，但他知道，自己尽力了。

这起案子侦破 7 年后，达哥成家立室，有了一个可爱的女儿。他第一次感受到"孩子"之于父母的意义。

他想永远守护她。

"团圆行动"快接近尾声了，有一天，达哥突然把自己的电脑屏幕拧过来，问我："你看她们像吗？"

屏幕上是两个年龄悬殊的女人，有着一样的脸型、相似的眼眉和嘴角。

我问达哥，DNA 怎么样？他告诉我说符合单亲，母女人像相似度比对也有 70 多分。

"那还犹豫啥,绝对像!先认定了再说。"我给达哥鼓劲,提醒他还可以再加做母系遗传。

又过了 3 天,达哥接到一条微信信息,他探过头来向我"炫耀",笑得见眉不见眼。

原来那对相像的母女,就是他邻居何大婶和失散多年的女儿何小妹,她们已经确认了亲生关系。

他在"团圆行动"里让邻居何大婶和女儿团圆了。

达哥局里组织了认亲仪式,可惜达哥赶不回去,只好让队里的兄弟发来她们母女相认的照片。

没有想象中抱头痛哭的画面,照片里,两个眉眼相似、年龄悬殊的女人各自站着,看上去有些拘谨。

何大婶特意准备了一些食饼筒,是类似春卷的一种家乡小吃,据说是何小妹小时候最喜欢的食物,但对方只尝了一个,并没有流露出太多喜悦。

何大婶也有些不知所措了。失踪时才 3 岁的小丫头早就变成了大人,爱吃的东西或许也早就变了吧。

可能是因为多年的分离,何小妹心理上一时转不过弯,所以暂时还有些疏离,但毕竟血脉相连,母女俩最后约好,以后经常见面。

临分开的时候,何小妹主动上前抱住了何大嫂,这个失去丈夫、失去儿子,几乎要失去所有的女人一下子泪流满面。

她们都等了对方太多年了,就多给她们一点时间吧。

何大婶当然也没忘记达哥的帮忙,在认亲前就亲自送了一大堆食饼筒到达哥家表示感谢。

事情没有预期的顺利,可也没有想象的那么糟糕。

我能理解那种感觉，其实于我们而言，这已经是"圆满"了。

我曾受理过一个寻亲案：一位母亲在睡午觉时，自己的双胞胎儿子被人偷走了一个。事情发生后，丈夫觉得是她的过失，很快抛弃了她和孩子。这个母亲在家乡生活无着落，只能带着孩子到广东打工。她在我们辖区报了案，今年通过DNA比对，我们帮她找回了那个被偷走十几年的孩子。

孩子当年被拐卖后，居然一直生活在我们辖区。命运就是这么神奇，千里之外的分离，又在异地他乡重聚。

认亲那天，她和我说："我也不知道怎么感谢你们，就给你们行个礼吧。"

我本以为她会鞠个躬，正伸手去扶的时候，她已经双脚跪到了地上，我赶紧一把拉住她。

那一刻她泪流满面，我也热泪盈眶。

为了这样幸福的泪水，我、达哥，我们还愿意干很多很多年。

"团圆行动"的电脑房，那是一间每时每刻都在发生"奇迹"的房间，像有某种魔力，让你愿意在里面越待越久——因为每个数字背后都可能是一个等待团圆的家庭。

那种感觉太好了。

"希望"对法医来说太奢侈了，多数情况下我们只会带去坏消息。到达一个现场，常常是急救医生前脚出去，我们后脚进门。家属、围观人群看向我们两者的眼神是截然不同的。

干得越久，心上的碑就越多。无能为力的痛苦、遗憾成了常态。

我知道，那个房间里的每个法医几乎都是穿过了分离和死亡的阴影，才来到这儿的。而"团圆行动"就像我们的一场疗愈，"希望"变成了一个个看得到的数字。

行动结束时，达哥是所有人里成绩最好的，经他手比上的失踪孩子将近 400 个。他一个人判定的成果是我的好几倍。

截至 2021 年 11 月 30 日，"团圆行动"已找回历年失踪被拐儿童 10932 名，其中失踪被拐人员与亲人分离时间最长的有 74 年。

台上的达哥笑着说："我想把自己的一些经验讲出来，能为'团圆'多尽一份力，都是天大的好事。"

那一刻我由衷地骄傲。

法医也可以带去好消息：团圆，就是天大的好事。

## 后记

电影《失孤》里，刘德华饰演一位和儿子失散多年的父亲，电影的原型郭刚堂在 2021 年的"团圆行动"里，找到了自己的儿子。

现实中，郭刚堂的经历异常坎坷，儿子毛寅是他找回的"第 30 个孩子"。在此之前，他已经帮助 29 个孩子找到了家。

每找到一个孩子，就给一个家庭带来了希望，但同时，也让郭刚堂的希望落空一次。这种情绪落差，在 24 年的寻子之路上，被重复了 29 次。

穿过无数绝望，摸索到一个希望，是郭刚堂过去的写照，也是当下每一个法医每天都在坚持做的事。

被誉为国内法医学界天花板的刘良曾经说过："法医有一

个好处,总是绝处逢生。"

遇到的每一个"绝处",可能都要拦住他们数十年。这期间,一遍遍分析线索、一次次创新技术,直到在一个"绝处"上凿出裂缝。

写到这儿,我仿佛又看见达哥坐在那间不大的电脑房里,盯着屏幕上的数字一个一个比对。

他的心里始终点着那盏送孩子们回家团圆的灯。

天才捕手计划
STORYHUNTING

**故事编辑**

锅盔

小旋风

火柴

扫地僧